Mentale Modelle:

30 Denkwerkzeuge, die den Durchschnitt vom Außergewöhnlichen unterscheiden. Verbesserte Entscheidungsfindung, logische Analyse und Problemlösung.

Von Peter Hollins,
Autor und Rechercheur bei
petehollins.com

Inhaltsverzeichnis

Kapitel 1. Entscheidungsfindung für Geschwindigkeit und Kontext

Der Name Charlie Munger mag Ihnen nicht geläufig sein, aber Sie kennen wahrscheinlich seinen Geschäftspartner, den Milliardär Warren Buffett aus Omaha, einen der berühmtesten Investoren der Welt und dementsprechend seit Jahrzehnten einer der reichsten Menschen der Welt.

Die beiden arbeiten seit 1978 Seite an Seite für Buffetts Multikonglomerat Berkshire Hathaway. Obwohl Munger nicht so sehr im Rampenlicht steht wie sein Partner, schreibt Buffett einen überwältigenden Teil seines Erfolges seiner Allianz mit ihm zu. Und in den letzten Jahren hat Munger begonnen, sich eine eigene Anhängerschaft aufzubauen, basierend auf der Art und Weise, wie er seine Lebenseinstellung artikuliert hat.

Dies begann vor allem, als Munger aus dem Schatten heraustrat und 1994 an der USC Business School eine Eröffnungsrede mit dem Titel „Lektion über elementare, weltliche Weisheit in Bezug auf Investitionsmanagement und Wirtschaft" hielt. Die Wirkung von Mungers Rede hat sich in den Jahrzehnten danach als sehr einflussreich erwiesen, da sie das Konzept der „mentalen Modelle" einführte, das in der Folge in der breiten Öffentlichkeit verbreitet wurde. Er sinnierte:

> Was ist elementare, weltliche Weisheit? Nun, die erste Regel ist, dass man nicht wirklich etwas wissen kann, wenn man sich nur an isolierte Fakten erinnert und versucht, sie zu verbinden. Wenn diese Fakten nicht in einem Gitterwerk von Theorien zusammenhängen, haben Sie sie nicht in einer

brauchbaren Form. Sie müssen Modelle in Ihrem Kopf haben. Und Sie müssen Ihre Erfahrungen - sowohl stellvertretende als auch direkte - in diesem Gitterwerk von Modellen anordnen.

Sicher sind Ihnen schon Schüler begegnet, die nur versuchen, sich zu erinnern und das, was sie sich gemerkt haben, wiederzukäuen. Nun, sie scheitern in der Schule und im Leben. Sie müssen Erfahrungen an einem Gitterwerk von Modellen im Kopf aufhängen.

Was sind die Modelle? Nun, die erste Regel ist, dass Sie mehrere Modelle haben müssen - denn wenn Sie nur eines oder zwei verwenden, liegt es in der Natur der menschlichen Psychologie, dass Sie die Realität so hinbiegen, dass sie zu Ihren Modellen passt, oder zumindest glauben Sie, dass sie das tut.

Es ist wie das alte Sprichwort: „Für den Mann, der nur einen Hammer hat, sieht jedes Problem wie ein Nagel aus." Und natürlich ist das die Art und Weise, wie der Chiropraktiker seine Therapie durchführt. Aber das ist eine absolut katastrophale Art zu denken und eine absolut katastrophale Art, in der Welt zu agieren.

Man muss also mehrere Modelle haben. Und die Modelle müssen aus verschiedenen Disziplinen bzw. Fachrichtungen stammen - denn die ganze Weisheit der Welt ist nicht nur in einer kleinen akademischen Abteilung zu finden. Das ist der Grund, warum Literatur-Professoren im Großen und

Ganzen so unklug im weltlichen Sinne sind. Sie haben nicht genug Vorbilder in ihren Köpfen. Also sollte man Vorbilder aus verschiedenen Disziplinen haben.

Sie werden vielleicht sagen: „Mein Gott, das ist schon viel zu schwierig." Aber zum Glück ist es nicht so schwer wie Sie denken - denn achtzig oder neunzig wichtige Modelle umfassen etwa neunzig Prozent dessen, die Sie zu einem weltlich weisen Menschen macht. Und davon wiederum umfassen nur eine Handvoll das wirklich Wesentliche.

An einer späteren Stelle betonte er weiter,

Sie müssen die wichtigen Konzepte der wichtigen Disziplinen kennen und sie routinemäßig anwenden - alle, nicht nur ein paar davon. Die meisten Menschen sind in einer Fachrichtung ausgebildet - zum Beispiel in der Ökonomie - und versuchen, alle Probleme auf die gleiche Weise zu lösen. Sie kennen das alte Sprichwort: Für den Mann mit einem Hammer sieht die Welt wie ein Nagel aus. Das ist eine dumme Art, mit Problemen umzugehen.

Ich würde zwar nicht so weit gehen zu sagen, dass ein tiefes Fachwissen in einer Disziplin *dumm* ist, aber es ist sicherlich kein optimaler oder effizienter Weg, um Situationen zu lösen oder zu verstehen, die das Leben einem zuwirft. Es lässt Sie bedauernswert unausgerüstet für alles, was außerhalb Ihrer primären Wissensbasis liegt, aber die Lösung ist nicht, ein Experte auf jedem Gebiet zu werden. Es geht darum, Ihr eigenes *Gitterwerk von mentalen Modellen* zu finden.

So macht Munger deutlich, dass sich in der Welt ohne eine Reihe mentaler Modelle zurechtzufinden, gleichbedeutend damit ist, sich die Augen zu verbinden und wahllos auf einen sich drehenden Globus zu zeigen, und zu versuchen, Kuba zu finden. Ohne mentale Modelle als Blaupause, die Ihr Denken leiten, können Sie nur zufällige, einzelne Elemente ohne Verbindung zueinander sehen.

Um mit seiner Hammer-Analogie fortzufahren: Wenn Sie auf einer Baustelle arbeiten, wäre es hilfreich zu wissen, wie man einen Hammer, eine Säge, Nägel, eine Bohrmaschine, einen Schleifer und so weiter benutzt. Je mehr Werkzeuge Sie kennen, desto besser können Sie unterschiedliche und neuartige Bauaufgaben bewältigen; je mehr mentale Modelle Sie sich aneignen, desto besser können Sie mit alten und neuen Lebensereignissen umgehen und sie verstehen.

Was genau ist also ein mentales Modell?

Es ist eine Blaupause, die Ihre Aufmerksamkeit auf die wichtigen Elemente dessen lenkt, womit Sie konfrontiert sind, und sie definiert Kontext,

Hintergrund und Richtung. Sie gewinnen Verständnis, auch wenn Ihnen eigentliches Wissen oder Erfahrung fehlt, und somit die Fähigkeit, optimale Entscheidungen zu treffen.

Wenn Sie zum Beispiel ein angehender Koch sind, läuft das meiste, was Sie lernen, auf mentale Modelle hinaus: welche Art von Geschmacksprofilen es gibt, welche Grundzutaten für einen Fond oder eine Soße benötigt werden, typische Techniken für verschiedene Fleischsorten und die üblichen Getränke- und Speisekombinationen. Verstehen Sie diese, und Sie werden im Allgemeinen wissen, wie Sie mit jeder Art von Küche zurechtkommen. Ohne ein Gitterwerk von zugrundeliegenden Modellen würde jedes neue Rezept völlig neue Schwierigkeiten mit sich bringen.

Obwohl viele davon universell sind, werden unterschiedliche Situationen unterschiedliche Arten von Blaupausen erfordern - und das ist der Grund, warum Munger das Gitterwerk mentaler Modelle so sehr betont, nämlich um auf möglichst viele

Situationen vorbereitet zu sein. Ohne ein mentales Modell sehen Sie vielleicht nur eine zufällige Ansammlung von Linien. Aber *mit* einem anwendbaren mentalen Modell ist es so, als würde man eine Karte mit der Bedeutung all dieser Linien in die Hand bekommen - jetzt kann man Informationen richtig interpretieren und eine fundierte Entscheidung treffen.

Mentale Modelle bieten ein Verständnis der Situation und vorhersagbare Ergebnisse für das, was in der Zukunft passieren wird. Man kann sie als Lebensheuristiken oder Richtlinien zum Bewerten und Verstehen bezeichnen. Man kann sie auch als eine Art Brille betrachten, die man aufsetzen kann, wenn man sich auf ein bestimmtes Ziel konzentrieren möchte.

Sie werden vielleicht denken, dass kein Modell ein völlig perfektes Abbild der Welt ist, und das stimmt. Sie müssen uns nur die richtige Richtung zur Komplexität weisen und das Signal aus dem Rauschen filtern. Auf jeden Fall ist das besser als die Alternative, völlig blind zu sein.

Jeder von uns hat bereits seine eigenen mentalen Modelle, die er durch jahrelanges einfaches Leben und das Wahrnehmen von Mustern des täglichen Lebens gesammelt hat. Die meisten von uns haben eine Vorstellung davon, wie man sich in einem schicken Restaurant verhält, weil wir in irgendeiner Weise damit in Berührung gekommen sind. Wir haben auch eine Reihe von mentalen Modellen, die auf unseren Werten, Erfahrungen und einzigartigen Weltanschauungen basieren. Sie mögen sich aus Misstrauen gegenüber großen Institutionen weigern, Banken zu benutzen und Ihr Geld unter Ihrer Matratze aufbewahren - niemand hat jemals behauptet, dass alle mentalen Modelle nützlich, korrekt oder allgemein anwendbar sind. In der Tat können uns einige konsequent auf den falschen Weg führen.

Per Definition sind unsere persönlichen mentalen Modelle begrenzt und spiegeln nur eine voreingenommene Perspektive wider.

Wenn *mein* mentaler Ansatz das *Einzige* ist, was ich benutze, wenn ich versuche, die

Welt wahrzunehmen und zu verstehen, werde ich kein sehr breites Spektrum an Verständnis für die Welt gewinnen. Unweigerlich werde ich einige Dinge völlig falsch verstehen und in bestimmten Situationen ins Leere laufen, wenn nichts aus meiner Erfahrung anwendbar ist.

Genau da setzt dieses Buch an. Ich möchte Ihnen ein Gitterwerk von mentalen Modellen vorstellen, mit denen Sie besser in der Welt agieren können. Einige sind spezifisch, während andere universell und allgemein anwendbar sind. Sie alle werden Ihnen dabei helfen, klarer zu denken, bessere Entscheidungen zu treffen und Verwirrung zu klären.

Wenn Sie ein und dasselbe Objekt oder Ereignis durch verschiedene mentale Modelle sehen, erhalten Sie je nach dem, worauf Sie sich konzentrieren, ganz unterschiedliche Perspektiven, und sicherlich eine größere Bandbreite, als wenn Sie nur bei Ihrem eigenen Bezugsrahmen geblieben wären. Je mehr unterschiedliche Perspektiven Sie besitzen, desto mehr von der Welt können Sie verstehen.

Unser angehender Koch von vorhin kann einen Korb voller Zutaten mit den Augen eines Bäckers, eines klassischen französischen Kochs, eines Sandwichkünstlers oder mit den Augen eines chinesischen Szechuan-Kochs betrachten. Keines dieser Modelle ist notwendigerweise das optimalste, aber sie geben ihm einen Bezugsrahmen, im Gegensatz dazu, dass er nur auf einen Haufen von Zutaten starrt und keine Ahnung hat, was er damit machen soll.

Der vielleicht wichtigste Teil der mentalen Modelle ist, dass sie menschliche Fehler verhindern - passenderweise trug eine andere von Mungers berühmten Reden den Titel „Die Psychologie der menschlichen Fehleinschätzung".

Mit zu wenigen mentalen Modellen riskieren Sie, der Fabel von den blinden Männern und dem Elefanten zum Opfer zu fallen, die in etwa wie folgt lautet: Es waren einmal sechs blinde Männer, und sie alle streckten ihre Hände aus und konnten nur verschiedene Teile eines Elefanten ertasten: das Knie, die Seite, den Stoßzahn, den Rüssel, das Ohr und den Schwanz. Keiner dieser blinden Männer lag isoliert gesehen falsch, aber sie konnten nur aus einer einzigen Perspektive sehen, so dass sie sich in Bezug auf die Gesamterscheinung des Elefanten irrten.

Mehrere Modelle unterstützen sich gegenseitig, um einen einheitlicheren Überblick zu schaffen, während die Verwendung von nur einem oder zwei Modellen Ihre langfristige Sicht auf einen begrenzten Kontext oder eine Disziplin einschränkt. Eine große Auswahl an mentalen Modellen kann Ihren Blickwinkel erweitern und einige der verirrten „Fehler" auslöschen, die die Verwendung von nur einem oder zwei Modellen hervorrufen würde.

Das bedeutet nicht, dass Sie alle Einzelheiten von einer Million verschiedener Disziplinen kennen müssen, um mehrere mentale Modelle zu verwenden. Sie müssen nur die grundlegenden Punkte und Fundamente von ein paar wesentlichen Fachrichtungen verstehen. Seien Sie einfach nicht die Person mit einem einzigen Hammer.

Dieses erste Kapitel befasst sich eingehend mit mentalen Modellen zur Entscheidungsfindung. In gewissem Sinne helfen uns die meisten mentalen Modelle letztendlich bei Entscheidungen. Aber bei diesen speziellen Modellen geht es darum, wie man Informationen schneller verarbeiten und ein Ergebnis finden kann, mit dem man eher zufrieden ist. Mit anderen Worten, sie bringen Sie in kürzerer Zeit von Punkt A zu Punkt B, und sie helfen Ihnen vielleicht auch zu definieren, was Punkt A eigentlich ist.

Die meiste Zeit werden wir bei Entscheidungen mit Informationen überfrachtet - das klassische Signal-Rausch-Verhältnis-Problem. Sie werden lernen, selektiv taub zu werden und nur das aufzunehmen, was wichtig ist. An dieser Stelle setzen wir mit dem ersten mentalen Modell an.

MM #1: „Wichtig" ansprechen; „Dringend" ignorieren

Verwenden Sie dieses Modell, um echte Prioritäten von Unsinn zu unterscheiden.

Selbst wenn wir entspannt sind, können wir in plötzliche Panik verfallen und einen Adrenalinstoß verspüren, wenn wir versuchen, eine Entscheidung zu treffen. Wir können so cool wie eine Gurke sein, im Pool liegen und trotzdem dieses Gefühl haben. Warum ist das so?

Damit gaukelt uns unser Gehirn einen der gefährlichsten Trugschlüsse vor - einen, der dazu führt, dass Sie sich ständig auf das konzentrieren, was nicht wichtig ist. Alles scheint ein Notfall zu sein, der so schnell wie möglich bewältigt werden muss, und schreckliche Konsequenzen werden folgen, wenn Sie nicht persönlich handeln.

Der Fehler besteht darin, „wichtig" und „dringend" als Synonyme zu betrachten und nicht zu erkennen, wie groß der Unterschied zwischen den beiden Begriffen ist und wie Sie sie priorisieren sollten. Die

Fähigkeit, die beiden zu unterscheiden, ist ein entscheidender Schritt, um Ihre Angst zu mindern, Prokrastination zu stoppen und sicherzustellen, dass Sie auf optimierte Weise handeln.

Dieses mentale Modell hat wahrscheinlich den meisten Puffer im Bereich der Produktivität, wo die Zeit eine Prämie ist. Wir verbringen viel zu viel Zeit mit *dringenden* Aufgaben, wenn wir uns auf *wichtige* Aufgaben konzentrieren sollten.

Wichtige Aufgaben: Diese tragen direkt zu unseren kurz- oder langfristigen Zielen bei. Sie sind absolut unerlässlich für unsere Arbeit, unsere Aufgaben oder unser Leben. Sie können nicht übersprungen werden und sollten priorisiert werden. Sie müssen vielleicht nicht sofort erledigt werden und erscheinen daher nicht als wichtig. Das macht es leicht, in die Falle zu tappen, das Wichtige für das Dringende zu opfern. Aber die wichtigen Aufgaben sind es, die sich wirklich auf Ihre persönlichen Endergebnisse auswirken, und es würde ernsthafte negative Auswirkungen haben, wenn sie übersprungen würden.

Dringende Aufgaben: Diese verlangen einfach Unmittelbarkeit und Schnelligkeit und kommen meist von anderen Menschen. Das erzeugt natürlich eine Reaktion auf Ihrer Seite, die Sie vergessen lassen kann, was wichtig ist. Sie *können* sich mit wichtigen Aufgaben überschneiden, aber sie können auch einfach nur Ihre sofortige Aufmerksamkeit fordern, ohne sie zu verdienen. Dringende Aufgaben sind in der Regel kleiner und leichter zu erledigen, so dass wir uns ihnen oft aus Prokrastination zuwenden, und es erlaubt uns, uns quasi-produktiv zu fühlen, obwohl wir das, was wir *wirklich* tun müssten, ignoriert haben. Viele dringende Aufgaben können aufgeschoben, delegiert oder schlichtweg ignoriert werden.

Ein kurzes Beispiel: Wenn Sie ein Autor sind, der unter Zeitdruck steht, wäre es eine *wichtige* Aufgabe für Sie, Ihr Buch weiterzuschreiben. Sie müssen in den nächsten zwei Wochen 5.000 Wörter pro Tag schreiben, sonst werden Sie sich von Brot und Wasser ernähren müssen. Dies würde als Priorität gelten.

Eine *dringende* Aufgabe wäre es, sich mit der lästigen „Motor überprüfen"-Lampe zu beschäftigen, die in Ihrem Auto ständig flackert. Ihr Auto kann wahrscheinlich noch ein paar Fahrten überstehen, und auch wenn das Blinken der Leuchte verführerisch sein kann, müssen Sie ihm widerstehen, denn dies ist dringend, getarnt als wichtig.

Typischerweise werden Sie feststellen, dass eine wichtige Aktivität oder ein Projekt nicht so viele dringende Aufgaben mit sich bringt. Dies führt oft zu einer Verwirrung der Prioritäten. Glücklicherweise gibt es eine bewährte Methode, um zwischen dringend und wichtig zu unterscheiden, und die Methode hat ihren Namen von einem der berühmtesten amerikanischen Präsidenten, Dwight D. Eisenhower. Sie heißt Eisenhower-Matrix und hilft Ihnen, Prioritäten zu setzen und zu erkennen, was Sie im Moment wirklich bewerkstelligen müssen.

Eisenhower war ein Fünf-Sterne-General während des Zweiten Weltkriegs, bevor er zum Präsidenten gewählt wurde und zwei

Amtszeiten von 1953 bis 1961 amtierte. Eisenhower führte nicht nur die alliierten Streitkräfte zum Sieg, sondern überwachte auch die Gründung der NASA, das amerikanische Autobahnsystem und die neue Bürgerrechtsgesetzgebung, während er die Vereinigten Staaten durch den Korea-Konflikt und den Beginn des Kalten Krieges lenkte.

Um seinen komplizierten Zeitplan zu meistern, entwickelte Eisenhower ein System, das ihm half, seine Aktivitäten und Anforderungen in die wichtigsten Angelegenheiten zu ordnen und die wichtigsten Prozesse zu identifizieren, die diesen wichtigen Elementen dienten. Es half ihm auch zu bestimmen, welche weniger wichtigen Aufgaben er entweder jemand anderem übertragen oder ganz eliminieren konnte. Mit anderen Worten: wichtig versus dringend.

Einige Aufgaben könnten zu neuen Bürgerrechtsgesetzen führen, erscheinen aber nie wirklich dringend. Andere Aufgaben könnten schreiend dringend erscheinen, würden aber ohnehin keinen

Unterschied machen. Jede Person, insbesondere eine so einflussreiche wie der Präsident der Vereinigten Staaten, sollte einfach wissen, was wichtig ist.

Die Eisenhower-Matrix ist für jeden leicht anzuwenden und trägt wesentlich zur Verbesserung von Effizienz und Leistung bei. Die Vorlage ist ein einfaches zwei-mal-zwei Raster, das zwischen „wichtigen" Zielen und „dringenden" Aufgaben unterteilt ist, wie unten zu sehen.

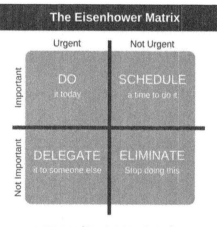

www.expertprogrammanagement.com

Wichtige Aufgaben. Die oberste Zeile der Matrix stellt die wichtigsten

Verpflichtungen oder Verantwortlichkeiten dar, die man in seinem Leben hat. Dies sind Dinge, die unsere größte Aufmerksamkeit und Aktivität erfordern. Bei der Arbeit könnten dies die wichtigsten Aspekte unserer Stellenbeschreibung sein - die Überwachung eines Budgets, die Leitung eines langfristigen Projekts, das unser Geschäft definiert, oder die Aufrechterhaltung eines konstanten Betriebs. Für persönliche Angelegenheiten könnte es bedeuten, unsere Gesundheit (oder die unserer Lieben) zu pflegen, eine Beziehung oder Ehe aufrechtzuerhalten, ein Haus zu verkaufen oder ein Unternehmen aufzubauen. Die Dinge, die sich am meisten auf alle anderen Dinge in unserem Leben oder unserer Arbeit auswirken, sind die wichtigsten.

Aber nur weil etwas extrem wichtig ist, heißt das nicht, dass jede Aktivität, die es unterstützt, sofort erledigt werden muss. Einige können auf die lange Bank geschoben werden (sogar auf unbestimmte Zeit), einige sind noch nicht einmal so weit, erledigt zu werden, und einige hängen davon ab, dass andere Leute sich zuerst bewegen. Kurz gesagt, Sie können nicht alles *sofort* erledigen. Hier kommt die „Dringlichkeit"-Matrix ins Spiel: Die oberste Zeile der Matrix ist also aufgeteilt nach dem, was jetzt geschehen muss und dem, was aufgeschoben werden kann (aber irgendwann in der Zukunft geschehen muss).

Dringend: Erledigen. Objekte im „Do"-Quadranten sind Dinge, die unbedingt schnellstmöglich erledigt werden müssen. Sie müssen erledigt werden, um ungünstige Ergebnisse oder unkontrollierbare Umstände abzuwenden, und je früher sie erledigt werden, desto weniger Arbeit (und mehr Erleichterung) wird es in Zukunft geben. „Do"-Aufgaben drehen sich typischerweise um Fristen: Abschlussarbeiten, Gerichtsanmeldungen, Autoanmeldungen, Schulanmeldungen und so weiter.

Dazu gehören auch Notfälle oder Aktivitäten, die erledigt werden müssen, um eine Katastrophe abzuwenden. „Do"-Aufgaben sind am besten als Aufgaben zu verstehen, die sofort, bis zum Ende des

Tages oder spätestens morgen erledigt werden müssen. Sie verursachen Angst, weil es sich um Aufgaben mit hohem Aufwand handeln kann, die Sie nur ungern tun, aber dennoch erledigen müssen.

Nicht dringend: Planen. Aufgaben, die sich im zweiten Quadranten befinden, müssen irgendwann erledigt werden - aber nicht unbedingt *jetzt.* Die Welt bricht nicht zusammen, wenn sie nicht heute erledigt werden; sie stehen nicht unter einer strikten Deadline, um erledigt zu werden. Dennoch müssen sie *irgendwann* erledigt werden, normalerweise relativ bald, also müssen sie geplant werden. „Plan"- Aufgaben sind z. B. die Vereinbarung eines Treffens mit einem wichtigen Kunden, die Vereinbarung eines Termins für die Reparatur eines undichten Daches, das Studieren oder Lesen von Unterrichtsmaterialien oder Arbeitsunterlagen oder Wartungsaufgaben, die sich über einen längeren Zeitraum erstrecken.

Planen Sie sie ein, nachdem die Brände gelöscht sind. Planen Sie sie für die nahe

Zukunft, aber nicht so unmittelbar, dass sie mit Ihren wirklich dringenden *und* wichtigen Aufgaben kollidieren. „Plan"-Aufgaben sind auch wichtige Bestandteile Ihrer mittel- bis langfristigen Pläne: Wenn Sie eine Woche oder einen Monat oder im Voraus planen, sollten „Plan"-Aufgaben auf Ihren Zeitplan gesetzt werden.

Die Gefahr bei diesen „nicht dringenden" Aufgaben ist, sie zu sehr zu depriorisieren. Sie sind wichtig, um den normalen Betrieb aufrechtzuerhalten, und wenn sie verworfen oder vergessen werden, können sie sich in kürzester Zeit zu Notfallaufgaben entwickeln. Nehmen Sie die „Motor überprüfen"-Lampe in Ihrem Auto von vorhin - anekdotisch gesehen bin ich fast ein Jahr lang mit dieser Lampe gefahren und es ist nichts Schlimmes passiert, also auch wenn es theoretisch wichtig ist, erfordert es keine dringende Aufmerksamkeit.

Unwichtige Aufgaben. Die untere Zeile von Eisenhowers Matrix repräsentiert Aufgaben, die für Sie persönlich nicht so wichtig sind. Das bedeutet nicht, dass sie für andere Menschen unwichtig sind (obwohl es das sein könnte), aber es handelt sich um Tätigkeiten, deren Erledigung für jemand anderen angemessener oder sinnvoller sein könnte. Andere Menschen werden sicherlich versuchen, sie als wichtig für Sie darzustellen, aber sie projizieren damit oft nur ihre eigenen Interessen. Gibt es eine Auswirkung auf Sie? Minimal, wenn überhaupt. Die unwichtige Ebene wird ebenfalls nach relativer Dringlichkeit eingeteilt.

Dringend: Delegieren. Das vielleicht verwirrendste Feld in dieser Matrix ist das Feld „nicht wichtig, aber dringend". Es macht in einer Arbeitsumgebung vielleicht am meisten Sinn: Das sind Aufgaben, die vielleicht wirklich erledigt werden müssen, aber es ist nicht lebenswichtig für *Sie,* sie *selbst* zu erledigen, selbst wenn Sie es könnten. Wenn Sie sie selbst erledigen würden, könnten sie sich den „wichtigen" Aufgaben aufdrängen, die Sie unbedingt entweder jetzt oder später erledigen müssen.

Aus diesen Gründen sollten die Aufgaben in diesem Feld eliminiert werden, vorzugsweise indem sie an jemand anderen delegiert werden. Wenn Sie als Leiter eines Teams arbeiten, sollten Sie in der Lage sein, jemand anderen zu finden, der diese Aufgaben für Sie übernimmt.

Nicht-wichtige/dringende Aufgaben können identifiziert werden, indem man misst, wie wichtig sie für das aktuelle Geschehen sind. Diese können ganz allgemein als Unterbrechungen beschrieben werden: Telefonanrufe, E-Mails, derzeitige Familiensituationen und so weiter. In Zeiten der Inaktivität können diese alle wichtig sein, um sich darauf zu konzentrieren, aber im Moment könnten sie Sie von dem ablenken oder Sie fehlleiten, was Sie im Hinblick auf Ihre Gesamtziele zu erledigen haben.

Es kann sein, dass Sie Kundendienst-E-Mails erhalten, obwohl Sie der CEO eines Unternehmens mit 100 Mitarbeitern sind. Diese E-Mails sind von extrem verärgerten und genervten Kunden, und sie sind für alle Beteiligten dringend - außer für Sie.

Es hat wirklich keinen Sinn und keine Bedeutung für Sie, sich mit diesem täglichen Kleinkram zu beschäftigen, und deshalb müssen Sie ihn durch Delegation aus Ihrem Zeitplan streichen.

Nicht dringend: Eliminieren. Schließlich gibt es einige Aktivitäten und Funktionen, die weder wichtig noch kritisch für die anstehenden Prioritäten sind. Wozu sind sie überhaupt da? Meistens, um Sie abzulenken oder als Flucht vor dem, was Sie tun müssen, zu dienen: Freizeitaktivitäten, soziale Medien, Binge-Watching, lange Telefonate, ausgiebige Hobbys und so weiter. Im Namen der Effizienz und des Priorisierens sind diese Dinge nur Ballast - wir optimieren vielleicht nicht immer für diese Dinge, aber es ist trotzdem hilfreich, dies einfach zu wissen.

Das sind einfach Dinge, die aus dem einen oder anderen Grund Ihre Aufmerksamkeit erregen und versuchen, eine Reaktion zu erzwingen; sie sind manchmal sogar schwer zu benennen, weil sie sich so unbedeutend und flüchtig anfühlen. Aber sie summieren sich. (Wenn Sie sich einmal selbst schockieren und sehen wollen, wie sehr sie sich summieren, installieren Sie Tracker auf Ihrem Telefon und Computer, um zu sehen, wie viel Zeit Sie für wirklich nutzlose Beschäftigungen aufwenden).

Das sind die Aktivitäten, die Sie in Ihrem Zeitplan überhaupt nicht berücksichtigen sollten und die nur erledigt werden sollten, wenn alles andere erledigt ist. Priorisieren Sie nur Punkte, die für den Erfolg Ihres Projekts oder Ihres Lebens unterm Strich wichtig sind. Das heißt nicht, dass Sie diese nicht *auch mal* machen können (und Sie wären im Unrecht, wenn Sie sich nicht ab und zu ein bisschen Realitätsflucht erlauben würden). Aber wenn Sie gerade mit anderen wichtigen Dingen beschäftigt sind, die Ihre Aufmerksamkeit oder Ihren Überblick brauchen, sollten Sie nicht dringende Aufgaben komplett ablehnen. Sie werden sinnvoller sein und sich mehr lohnen, wenn Sie die wichtigen Aufgaben ohnehin erledigt haben.

Nur weil etwas eine schnelle Reaktion zu erfordern scheint, heißt das nicht, dass Sie jetzt sofort handeln müssen, und nur weil etwas langsam im Hintergrund tickt, heißt das nicht, dass Sie es ignorieren sollten. Lernen Sie, beides auszubalancieren, um optimale Entscheidungen zu treffen.

MM #2: Visualisieren Sie alle Dominosteine

Verwenden Sie dieses Modell, um möglichst fundierte Entscheidungen zu treffen.

Wenn wir eine Entscheidung treffen müssen, denken die meisten von uns nur an die unmittelbaren Auswirkungen, die diese Entscheidung haben wird - vor allem, wenn es sich um eine zeitkritische oder dringende Entscheidung handelt. Wir denken in Schritten von einzelnen Dominostein voraus; das Leben ist nie so einfach und isoliert zu betrachten. Was ist mit dem Rest der Dominosteine? Sie verschwinden nicht einfach.

Wir nehmen die meisten unserer alltäglichen Entscheidungen als isolierte Situationen wahr, die keine großen Konsequenzen haben, weder positiv noch negativ. Wir praktizieren tagtäglich einen beunruhigenden Mangel an Voraussicht, denn so sind wir als Menschen biologisch gestrickt, und dennoch leisten uns unsere Instinkte hier keine guten Dienste. Typisch menschliches Denken ist nicht zu bemängeln: Ich trete auf einen Nagel, springe vor Schmerz zur Seite und stürze von einer Klippe. Das passiert einfach.

Dies ist allgemein als Denken erster Ordnung bekannt, bei dem wir uns ausschließlich auf die Lösung einer aktuellen Frage oder Entscheidung konzentrieren und nicht die längerfristigen Auswirkungen oder wie sich unsere Entscheidung in der fernen Zukunft auswirken wird, berücksichtigen. Wenn es hilft, nennen Sie es „First-Domino-Denken".

Aber viele unserer Entscheidungen, besonders die, über die wir uns nachts den Kopf zerbrechen, haben Konsequenzen, die über das hinausgehen, was wir direkt vor uns sehen können. In Bezug auf die Konsequenzen sind Menschen so blind wie Fledermäuse. Kleine Entscheidungen, die man trifft, können zu Auswirkungen führen, die man nicht vorhergesehen hat, was zu einer Art Schmetterlingseffekt führt. Das Ergebnis ist nicht nur auf die unmittelbaren Veränderungen beschränkt, die wir beschlossen haben - auch andere Menschen oder Situationen können betroffen sein. Einige von ihnen mögen wirklich unvorhersehbar gewesen sein, und einige mögen unsichtbar sein, bis sie ihr hässliches Haupt erheben. Andere wiederum überraschen uns nur, weil wir die Situation nicht gründlich genug durchdacht haben.

Okay, Sie haben genug darüber gehört, was Sie *nicht* tun sollten, also was *sollten* wir tun? Visualisieren Sie alle Dominosteine, auch bekannt als *Denken zweiter Ordnung*.

Dies ist einfach der Versuch, in die Zukunft zu denken und eine Reihe von Konsequenzen zu extrapolieren, die Sie verwenden können, um eine Kosten-Nutzen-Analyse für Ihre Entscheidungen oder Lösungen durchzuführen. Anstatt sich nur über den Kauf einer neuen Wohnung zu freuen, denken Sie darüber nach, was es für Ihren Kredit, Ihre Schulden und Ihre

Fähigkeit, in Zukunft einen großen Hund zu besitzen, bedeutet. Anstatt sich jede Woche die Haare zu blondieren, sollten Sie bedenken, dass Ihre kahlen Stellen durch das scharfe Bleichmittel zugenommen haben und vielleicht bald ein Toupet notwendig wird.

Ja, das Denken zweiter Ordnung hat den üblichen Effekt, dass man zweimal darüber nachdenkt, was man tut, und hilft dabei, unüberlegte Entscheidungen zu vermeiden, wie man es tun sollte, wenn man die langfristigen Folgen seiner Entscheidungen bedenkt. In der Praxis sollte man so viele Informationen wie möglich suchen, um angemessene Entscheidungen zu treffen.

Was ist der erste Dominostein, der nach einer Entscheidung fällt? Was sind nun die drei Wege, die dazu führen können? Und wohin führen diese? Sie hören mit Ihrer Analyse nicht auf, sobald die offensichtlichsten Situationen artikuliert sind. Stattdessen bedenken Sie so viele langfristige, mögliche Verzweigungen, wie Sie können. Wie wird Ihre Entscheidung andere Dominosteine zum Fallen bringen?

Wenn Sie diesen Dominostein kippen, welche anderen Dominosteine können Sie dann aus Zeit- oder Arbeitsgründen nicht mehr kippen (Opportunitätskosten)?

Der berühmte Investor Howard Marks zeigt einen ganz einfachen Weg auf, wie man dies im täglichen Leben anwenden kann:

> Ein gutes Beispiel dafür ist der hypothetische Zeitungswettbewerb, über den John Maynard Keynes im Jahr 1936 schrieb. Den Lesern würden 100 Fotos gezeigt und sie würden gebeten, die sechs hübschesten Mädchen zu wählen, wobei die Preise an die Leser gingen, die die Mädchen wählten, für die die Leser am häufigsten stimmten. Naive Teilnehmer würden versuchen zu gewinnen, indem sie die hübschesten Mädchen auswählen. **Aber beachten Sie, dass der Wettbewerb**

die Leser belohnen würde, die nicht die hübschesten Mädchen wählen, sondern die beliebtesten. Der Weg zum Sieg würde also nicht darin bestehen, herauszufinden, welches die hübschesten Mädchen sind, sondern darin, vorherzusagen, welche Mädchen der durchschnittliche Teilnehmer für am hübschesten halten würde. Um dies zu tun, müsste der Gewinner natürlich ein Denker der zweiten Ebene sein. (Der Denker der ersten Stufe würde nicht einmal den Unterschied erkennen.)

Dies kann noch einen Schritt weitergeführt werden, um die Tatsache zu berücksichtigen, dass andere Teilnehmer jeweils ihre eigene Meinung darüber haben, wie die öffentliche Wahrnehmung ist. So kann die Strategie auf den nächsten Auftrag und den nächsten und so weiter ausgedehnt werden, wobei auf jeder Ebene versucht wird, das letztendliche Ergebnis des Prozesses auf der Grundlage der Überlegungen anderer Akteure vorherzusagen.

„Es geht nicht darum, die Gesichter auszuwählen, die nach bestem Wissen und Gewissen wirklich die hübschesten sind, und auch nicht die, die die Durchschnittsmeinung wirklich für die hübschesten hält. Wir haben den dritten Grad erreicht, wo wir unsere Intelligenz darauf verwenden, zu antizipieren, was die Durchschnittsmeinung erwartet. Und es gibt, glaube ich, einige, die den vierten, fünften und höheren Grad praktizieren." (Keynes, *Allgemeine Theorie der Beschäftigung, des Zinses und des Geldes*, 1936).

Stellen Sie sich das so vor: Nur sehr selten passiert etwas, ohne dass eine Kette von Ereignissen folgt. Es ist Ihre Aufgabe, über die positive Verstärkung und Befriedigung, die Sie erhalten, hinwegzusehen, die Sie offen gesagt vielleicht blendet, und zu verstehen, was schief gehen könnte, wie schief es gehen könnte und warum es schief gehen könnte. Was wäre, wenn Sie jede Entscheidung als das Potenzial betrachten würden, 15 andere Dominosteine zum Umfallen zu bringen, und sich daran machen würden, diese zu identifizieren? *Mühsam, aber informativ.*

Das Denken zweiter Ordnung ermöglicht es Ihnen, die Gesamtheit Ihrer Entscheidungen zu projizieren. Selbst wenn Sie Ihre Entscheidung aufgrund dessen, was Sie durch das Denken zweiter Ordnung feststellen, nicht ändern, denken Sie zehnmal so viele Szenarien durch und treffen so weitaus fundiertere Entscheidungen als Sie es sonst tun würden. Manchmal ist das das Beste, was wir als Mensch tun können. Wir können die Zukunft nicht vorhersagen, aber wir können nicht über sie nachdenken.

Wenn das Denken zweiter Ordnung so toll ist, warum macht es dann nicht jeder? Weil es schwer ist. Der Mensch ist kein leuchtendes Beispiel dafür, konsequent das Richtige zu tun. Schauen Sie sich nur unsere Diäten an und wie viel Geld die Abnehmindustrie jedes Jahr damit verdient. Zu hinterfragen, wie sich unsere Handlungen auf Situationen auswirken, die über das hinausgehen, was direkt vor unseren Augen liegt, erfordert das Erforschen des Unbekannten und führt uns in ein Labyrinth des Denkens, das anstrengend oder kompliziert sein kann. Andere Leute würden vielleicht sagen, dass wir eine Entscheidung oder ein Problem „übertrieben durchdenken".

Tatsache ist, dass das Denken zweiter Ordnung Ihnen erlaubt, klar zu denken - zumindest klarer als Ihre Konkurrenz. Meistens ist das wichtig. Niemand entwickelt sich jemals über den Durchschnitt hinaus, indem er die offensichtlichen Entscheidungen trifft oder die bequemsten, einfachsten Antworten akzeptiert. Die Fähigkeit, Ereignisse auf eine tiefere, futuristische Ebene zu projizieren und vorherzusehen, ist ein Markenzeichen erfolgreicher Menschen und ist fast immer die zusätzliche Mühe wert. Wenn Sie dieses mentale Modell übernehmen, werden Sie Ihre Entscheidungsfindung verbessern und Ihnen wird nichts mehr entgehen.

Um in zweiter Ordnung zu denken, stellt Howard Marks einige Leitfragen.

Wie weitreichend wird diese Entscheidung die Dinge in der Zukunft beeinflussen? Was wird Ihre Entscheidung über die Veränderung Ihrer unmittelbaren Anliegen hinaus bewirken? Was wird dadurch *entstehen*? Wird der Zweck Ihrer Entscheidung erfüllt werden?

Welches Ergebnis wird meiner Meinung nach eintreten? Denken Sie über die einfache Lösung des unmittelbarsten Problems hinaus: Wenn Sie diese Vorgehensweise wählen, welche Auswirkungen wird sie haben, wenn sie erfolgreich ist oder scheitert? Wie sehen diese Ergebnisse aus? Wie sehen Halb-Erfolg und Halb-Misserfolg aus? Das führt automatisch zur nächsten Frage.

Wie hoch ist die Wahrscheinlichkeit, dass ich Erfolg habe oder richtig liege? Wie hoch ist, von einem möglichst objektiven Standpunkt aus betrachtet, die Wahrscheinlichkeit, dass Ihre Einschätzung richtig ist? Ist Ihre Vorhersage realistisch oder doch ein wenig von Fantasie oder Paranoia durchdrungen? Jede Entscheidung hat ein Kosten-Nutzen-Verhältnis. Gehen Sie zu locker mit dem Scheitern oder Halbscheitern um?

Was denken die anderen? Hoffentlich haben Sie Zugang zu mindestens ein oder zwei Personen - optimalerweise mehr - die Ihnen eine ehrliche Meinung über Ihre Vorhersage geben und ob sie denken, dass Sie auf dem richtigen Weg sind oder nicht. Obwohl Sie sich nicht übermäßig von der öffentlichen Meinung beeinflussen lassen sollten, ist es von Vorteil zu wissen, wie Ihre Vorhersage aufgenommen wird. Konsens in Zahlen ist nicht wirklich etwas, was gepredigt werden sollte, aber ein völliger Mangel an Realität wird in der Regel zum Selbstläufer, und das sollten Sie zu verhindern versuchen.

Wie unterscheidet sich das, was ich denke, von dem, was alle anderen denken? Was sind die Haupttrennungspunkte zwischen dem, was Sie denken, und dem, was populäres Wissen und Meinung vorgibt? Welche spezifischen Aspekte Ihrer Informationen und Vorhersagen sind anders und warum? Worauf beruhen sie? Was könnten Sie übersehen? Und das wiederum führt natürlich zum letzten Punkt.

Welche Dominosteine stellen sich andere Leute vor, die fallen? Unabhängig davon, ob Sie tatsächlich jemanden haben, an dem Sie Ihre Ideen abprallen lassen können, geht es bei dieser letzten Frage darum, aus Ihrer eigenen voreingenommenen Perspektive herauszutreten und Entscheidungen aus der Sicht anderer Personen zu betrachten.

Suchen Sie aktiv nach der Dominokette, die andere Leute sehen könnten, artikulieren Sie sie, und sehen Sie, wie die Dominosteine aus deren Perspektive fallen. Nicht alle Perspektiven sind gültig, aber Sie erhalten dadurch mehr Informationen.

Denken Sie daran, dass der Zweck dieses mentalen Modells darin besteht, aufzudecken und zu informieren. Wir können unseren menschlichen Instinkt, voreilige Schlüsse zu ziehen und aus einer Laune heraus zu entscheiden, nicht ganz umgehen, aber wir können bei den Entscheidungsfaktoren etwas methodischer vorgehen.

Dieses mentale Modell hätte sehr gut „Ignoriere die Affenpfote" heißen können, aber das erschien mir unnötig morbide. Stattdessen werde ich nur kurz die Ursprünge der „Affenpfote" erzählen und Sie können selbst entscheiden, welches Modell Sie besser dazu bringt, sekundäre Konsequenzen zu untersuchen.

„Die Affenpfote" ist eine Kurzgeschichte von W.W. Jacobs aus dem Jahr 1902. Es geht um einen Mann, der eine gesegnete (oder verfluchte?) Affenpfote findet, die ihm drei Wünsche gewährt. Der Mann weiß nicht, dass, obwohl jeder Wunsch *technisch gesehen* erfüllt wird, dies harte Konsequenzen haben wird.

Für seinen ersten Wunsch wünscht er sich 200 Dollar. Am nächsten Tag wird sein Sohn bei der Arbeit getötet, und die Firma gibt dem Mann 200 Dollar als Entschädigung. Für seinen zweiten Wunsch wünscht er sich seinen Sohn zurück. Nach kurzer Zeit hört er ein Klopfen an der Tür, und als er nach draußen blickt, entdeckt er den verstümmelten und verwesenden Körper seines Sohnes. Voller Angst wünscht er sich als dritten Wunsch, dass sein Sohn verschwinden möge. Ungewollte Konsequenzen sind wichtig!

MM #3: Treffen Sie umkehrbare Entscheidungen

Benutzen Sie dieses Modell, um Unentschlossenheit strategisch zu beseitigen, wann immer Sie können, und haben Sie eine Aktionsvorliebe.

In der Theorie ist die Entscheidungsfindung einfach. Manche Menschen entscheiden aus dem Bauch heraus, manche mit dem Verstand und manche ganz aus Eigennutz - was ist *für mich* drin?

Das heißt, Entscheidungsfindung ist nicht ganz unser Ziel - optimale Entscheidungsfindung in Kombination mit Geschwindigkeit ist es. Um den zweiten Teil - Geschwindigkeit - zu verbessern, müssen wir das mentale Modell der Unterscheidung zwischen reversiblen und irreversiblen Entscheidungen verstehen und wie es uns hilft, schneller zu handeln.

Einer der Hauptgründe für unsere Untätigkeit ist die Angst, die mit der scheinbaren Endgültigkeit von Entscheidungen verbunden ist. Wir sind darauf konditioniert zu denken, dass es kein Zurück mehr gibt, und dass wir zu unserem Wort stehen müssen.

Um es ganz offen zu sagen: Diese Herangehensweise ist absolut falsch und wird Sie länger als nötig außen vor lassen. Nicht alle Entscheidungen müssen in Stein gemeißelt sein. Die meisten sind tatsächlich mit Bleistift geschrieben. Die meisten sind völlig veränderbar, und Entscheidungen als solche anzugehen, wird Sie eher zum Handeln bringen als nicht. Fühlen Sie sich zum Beispiel wohler, wenn Sie ein Auto auf „Endverkauf" kaufen (unumkehrbar) oder wenn es eine 100%ige Geld-zurück-Garantie gibt (umkehrbar)? Wie sieht es mit dem Streichen eines Badezimmers (umkehrbar) gegenüber dem Einbau eines neuen Badezimmers (irreversibel) aus? Was ist mit dem Rasieren Ihrer Katze (irreversibel) gegenüber dem Färben ihrer Haare (reversibel)? Die Umstände, in denen Sie sich wohler fühlen würden, wenn Sie sofortige Maßnahmen ergreifen würden, sind alle eher reversibel.

Den Unterschied zwischen reversiblen/irreversiblen Entscheidungen erkennen zu können, ist einer der Schlüssel zur Geschwindigkeit. Fügen Sie dies Ihrer Entscheidungsanalyse hinzu: *Wie kann ich diese Entscheidung umkehrbar machen, und was wäre dazu nötig? Kann ich das tun?* Dann tun Sie das.

Aber wenn Sie den Unterschied kennen, erhalten Sie auch eine ganze Reihe von Informationen, die Sie sonst nicht erkennen würden.

Das liegt daran, dass Ihnen Taten fast immer mehr sagen als eine Analyse im Vorfeld. Wenn Sie ein Auto kaufen, kaufen Sie es wahrscheinlich, ohne zu wissen, wie es sich im Alltag wirklich verhält. Wenn Sie eine 100-prozentige Geld-zurück-Garantie hätten, würden Sie das Auto sofort kaufen und wertvolle Informationen darüber gewinnen, wie es sich im Alltag für Sie verhält. Je nachdem, wie zufrieden Sie sind, können Sie dann die Entscheidung rückgängig machen oder nicht; so oder so werden Sie extrem informiert und sicher in Ihrer Entscheidung sein. Nicht zwischen reversibel/irreversibel zu unterscheiden, macht Sie langsamer und unwissend.

Eine Entscheidung rückgängig zu machen, bedeutet selten, dass man sein Wort zurücknimmt, sondern nur, dass man seine

Position angesichts neuer Informationen anpasst. Sie wären dumm, wenn Sie das nicht täten. Also sollten Sie *mehr umkehrbare Entscheidungen treffen.* Es spielt keine Rolle, ob Sie richtig oder falsch liegen. Sie verlieren dabei nichts, sondern Sie gewinnen Informationen, und wenn Sie sich am Ende richtig/optimal entscheiden, sind Sie der Meute voraus. Im schlimmsten Fall sind Sie wieder da, wo Sie angefangen haben, was nicht so schlimm ist.

Wer jetzt noch händeringend nach einer umkehrbaren Entscheidung sucht, verliert nur wertvolle Zeit, fällt zurück und nutzt unvollständige Informationen. Der Architekt Wernher Von Braun hat dazu gesagt: „Ein guter Test ist mehr wert als tausend Expertenmeinungen."

Den Unterschied zwischen reversiblen und irreversiblen Entscheidungen zu kennen, kann das Tempo und den Schwung Ihres Lebens bestimmen. Wenn Sie reversible Entscheidungen bevorzugen, bleiben Sie immer in Bewegung und lernen. Sie überanalysieren nicht und verfallen nicht in eine Analyse-Lähmung. Sie sind nicht der sprichwörtliche *Esel von Buridan*, der mürrische Esel, der zwischen zwei Heuballen eingeklemmt wurde und durch Unentschlossenheit und Analyse verhungert ist. Das mag Ihren Gedankengang bei unumkehrbaren Entscheidungen nicht ändern, aber die sollten ohnehin nicht überstürzt werden. Bei allem anderen haben Sie nichts zu verlieren und können nur gewinnen.

Jeff Bezos, der Gründer von Amazon.com, der eine zunehmende Ähnlichkeit mit Lex Luthor aufweist und zum Zeitpunkt des Verfassens dieses Artikels der reichste Mann der Welt ist, klassifizierte diese beiden Arten von Entscheidungen auf seine eigene Weise.

„Typ 1"-Entscheidungen sind unumkehrbar. Sie sind die großen, oft monumentalen Entscheidungen, die man nicht zurücknehmen kann. „Typ 2"-Entscheidungen sind umkehrbar, und während Bezos auch davor warnt, sich zu sehr auf sie zu verlassen auf die Gefahr hin, unüberlegt zu handeln, erlauben sie dem

Entscheidungsträger bei kluger Anwendung mehr Spielraum, um schnell zu handeln.

Zu den Fallstricken, die beiden zu verwechseln, erklärt er,

> Wenn Organisationen größer werden, scheint es eine Tendenz zu geben, den schwergewichtigen Typ-1-Entscheidungsprozess auf die meisten Entscheidungen anzuwenden, einschließlich vieler Typ-2-Entscheidungen. Das Endergebnis davon ist Langsamkeit, unüberlegte Risikoscheu, das Versäumnis, ausreichend zu experimentieren, und folglich verminderter Erfindungsreichtum. Wir müssen herausfinden, wie wir diese Tendenz bekämpfen können. Und das Einheitsdenken wird sich nur als einer der Fallstricke herausstellen. Wir werden hart daran arbeiten, sie zu

> vermeiden... und alle anderen Krankheiten großer Organisationen, die wir identifizieren können.

Er ist auf unserer Seite, was die Vorliebe für reversible Entscheidungen angeht. Er sieht darin ein Kennzeichen flinker, intelligenter Unternehmen und beklagt wahrscheinlich die Tatsache, dass sich jede Entscheidung in einem so großen Unternehmen wie Amazon.com relativ schwergewichtig und unumkehrbar anfühlt.

Es gibt einen großen Vorbehalt bei reversiblen Entscheidungen: Sie können zu mehr Möglichkeiten inspirieren und geben Ihnen mehr Flexibilität, aber sie sollten immer noch auf Fakten beruhen - nicht auf unbegründeten Projektionen, Wünschen oder übermäßigen Emotionen. Umkehrbare Entscheidungen funktionieren, wenn sie realistisch sind und durch Daten oder historische Ergebnisse gestützt werden. Selbst wenn Sie eine Entscheidung treffen, die Sie wieder rückgängig machen können, ist es viel einfacher, in und aus einer umkehrbaren Entscheidung zu schwenken, wenn sie an eine Art von beweisbaren oder etablierten Informationen gebunden ist.

Wie bereits erwähnt, ist die Entscheidungsfindung allein keine schwierige Aufgabe. Aber wenn wir die bestmögliche Entscheidung treffen wollen, können wir von jetzt an umkehrbare Entscheidungen verwenden, um genau das herauszufinden, was Sie wissen müssen.

MM #4: Suche nach „Zufriedenheit"

Verwenden Sie dieses Modell, um Ihre Prioritäten zu erreichen und ignorieren Sie, was nicht wichtig ist.

Satisfiction (zusammengesetzt aus den englischen Worten „satisfaction" = Zufriedenheit und „fiction" = Fiktion, Erfindung) ist ein erfundenes Wort, aber nicht von mir. Ich nehme an, das bedeutet, es könnte ein echtes, offizielles Wort sein.

Das nächste mentale Modell zur Entscheidungsfindung konzentriert sich darauf, unsere Geschwindigkeit zu erhöhen, indem wir uns nur auf das konzentrieren, was wir brauchen. Dabei werden wir wahrscheinlich feststellen, dass wir viel weniger Dinge *brauchen*, als wir ursprünglich dachten, und dass sich unsere Wünsche als Bedürfnisse tarnen.

Das Wort „*satisfice*" ist eine Kombination aus den englischen Wörtern „*satisfy*" („*zufriedenstellen*") und „*suffice*" („*genügen*"). Dieser Begriff wurde von Herbert Simon in den 1950er Jahren geprägt und stellt eine praktische Alternative für diejenigen von uns dar, die den Nutzen einer Entscheidung maximieren wollen. Wie sich herausstellt, lassen sich die meisten von uns in zwei Kategorien von Entscheidungsträgern einteilen: *Satisfizierer* und *Maximierer*.

Maximierer kennen Sie vielleicht. Sie wollen alles, was möglich ist, und sie werden es so lange versuchen, bis sie es bekommen. Sie sind so wählerisch, dass es frustrierend ist, und sie nehmen sich jedes Mal unendlich viel Zeit, um eine Entscheidung zu treffen. Selbst dann werden sie ihre Entscheidung immer wieder anzweifeln und bereuen. Der

Satisfizierer hingegen kann genauer bestimmen, was wirklich wichtig ist und konzentriert sich auf diese Dinge. Er entscheidet sich einfach und macht fröhlich mit seinem Tag weiter.

Angenommen, Sie kaufen ein neues Fahrrad.

Der Maximierer würde Stunden damit verbringen, seine Entscheidung zu erforschen und so viele Optionen wie möglich zu evaluieren. Er würde die bestmögliche Lösung für seine Zwecke finden wollen und nichts unversucht lassen. Er will 100%ige Zufriedenheit, trotz des Gesetzes des abnehmenden Ertrags - der geringen Rendite aus so vielen Stunden der Recherche. Die Reifen müssen von einer bestimmten Marke sein, der Rahmen muss ein bestimmtes Verhältnis von Metall und Kunststoff haben, und die Bremsen müssen eine bestimmte Farbe haben. Außerdem will er all diese Dinge zu einem Preis, der weit unter dem Marktpreis liegt. Das würde Sinn machen, wenn der Maximierer ein professioneller Radfahrer wäre, der häufig an internationalen Wettkämpfen teilnimmt, aber er ist nur ein gelegentlicher Wochenend-Radler.

Der Maximierer möchte *perfekte* Entscheidungen treffen. Dies ist typischerweise ein Ding der Unmöglichkeit, und selbst wenn der Maximierer das Gefühl hat, dieses schwer fassbare Ziel endlich erreicht zu haben (nach stundenlangen Überlegungen und Selbstbeobachtungen), wird er wahrscheinlich schnell wieder unglücklich werden, weil er nicht aufhören kann, sich andere Ergebnisse und bessere Optionen vorzustellen.

Im Gegensatz dazu entscheidet sich der Satisfizierer nur, um zufrieden zu sein und eine Option zu finden, die für seine Zwecke ausreicht. Er möchte etwas, das gut genug funktioniert, um ihn zufrieden und glücklich zu machen, aber er muss sich nicht überglücklich oder ekstatisch fühlen. Das meiste wird ihm genügen, solange dessen allgemeiner Zweck und seine Bedürfnisse befriedigt werden. Mit anderen Worten, er strebt nach *„gut genug"* und hört auf, wenn er das gefunden hat. Was ist eigentlich ein Fahrrad? Es hat zwei Räder, einen ausreichenden Rahmen, einen ausreichend bequemen Sitz und funktionierende Bremsen. Das meiste andere ist verhandelbar und nicht von Interesse für den Zufriedensteller.

Das mag den Anschein erwecken, als würde ich herunterspielen, wie komplex ein Fahrrad sein kann, aber ich versichere Ihnen, das ist nicht der Fall. Worauf ich hinaus will, ist, dass dieses mentale Modell die meisten Faktoren zwar erkennt, sich aber aktiv dafür entscheidet, sie zu ignorieren, weil sie nicht essenziell sind und somit nicht den Zielen der reinen Zufriedenheit und Suffizienz dienen. Sie gehen zu weit darüber hinaus.

Maximierung stellt in unserer modernen Zeit ein Rätsel dar, denn während es mehr als zu jedem anderen Zeitpunkt in der Menschheitsgeschichte möglich ist, genau das zu bekommen, was man will, gibt es auch das Paradoxon der Auswahl, das es unmöglich macht, zufrieden zu sein.

Praktisch gesehen *gibt* es Entscheidungen, bei denen wir danach streben sollten, unseren Wert zu maximieren. Aber die sind extrem selten und weit hergeholt.

Wir sind darauf getrimmt, Entscheidungen nach dem Motto „nur für den Fall" oder „das wäre schön" oder „warte, bis die Leute das sehen" zu treffen. Wir verschwenden häufig Zeit mit dem, was nicht wichtig ist und was niemals wichtig sein wird.

Die meisten unserer Entscheidungen werden adäquat getroffen, indem wir einfach eine Option wählen, die zuverlässig und ehrlich ist. Angenommen, Sie sind in einem Lebensmittelgeschäft und versuchen, die gewünschte Erdnussbutter auszuwählen. Was sollten Sie hier anstreben? Zufriedenstellen oder maximieren? Offensichtlich sollten Sie einfach eine Erdnussbutter wählen, die in den Bereich von zwei oder drei Ihrer allgemeinen Parameter fällt, und das war's dann auch schon. Welchen Nettonutzen die optimalste Art von Erdnussbutter auch immer für Ihr Leben bringt, ist wahrscheinlich nicht die zusätzliche Mühe wert, die es gekostet hat, sie zu finden.

Es gibt nichts wirklich zu gewinnen, wenn Sie Ihre Auswahl an Erdnussbutter maximieren, und das ist eine Wahrheit, die für 99% unserer täglichen Entscheidungen gilt. Andernfalls sind wir ständig überfordert und verschwenden unsere geistige Bandbreite mit Maximierungen, wo es keine Rolle spielt und wo es massive abnehmende Erträge gibt.

Das Konzept der *Satisfaktion oder Zufriedenstellung* ist in der sogenannten *37%-Regel* oder dem *Sekretärinnenproblem* verankert. Dabei wird von einem fiktiven Arbeitsplatz ausgegangen, an dem Vorstellungsgespräche für eine neue Sekretärinnenstelle geführt werden, und es gibt 100 Kandidaten, die befragt werden sollen. Schon nach den ersten 37 werden Sie die Bandbreite der Kandidaten und deren Qualifikation kennen. Im Grunde genommen werden Sie niemanden interviewen, der sich von dem unterscheidet, was Sie bereits gesehen haben; ein maximierter Ausreißer ist entweder extrem unwahrscheinlich oder existiert einfach nicht.

Nachdem Sie nur 37% der möglichen Kandidaten gesehen haben, weist Sie die Regel an, einfach aufzuhören und dann Ihre Wahl zu treffen, denn Sie haben bereits alles gesehen und wissen bereits, was Sie brauchen, um sowohl zufrieden zu sein als auch das Gefühl zu haben, dass der Kandidat ausreicht. Das ist natürlich die Zone der *Befriedigung*. Verfahren Sie nach diesem mentalen Modell, um Zeit zu sparen und einzugrenzen, was Sie wirklich wollen.

Eine einfache Methode, um Zufriedenheit zu finden und nicht unbewusst zur Maximierung verführt zu werden - viel zu viel Zeit für etwas zu verwenden, das nicht wichtig ist - ist, sich selbst Grenzen zu setzen. Dabei geht es nicht um Grenzen für die kritische Auseinandersetzung mit den Dingen, sondern um Grenzen für das, wonach Sie suchen.

Wenn Sie zum Beispiel eine neue Jacke einkaufen gehen, ist es hilfreich, sich nur Jacken anzusehen, die aus Baumwolle, marineblau und in einer bestimmten Preisklasse sind. Damit grenzen Sie Ihren Spielraum auf der Grundlage vorgegebener Anforderungen ein. So können Sie schnell Optionen ausschließen und wissen gleichzeitig, dass Sie am Ende des Prozesses zufrieden sein werden.

Eine logische Konsequenz aus dem Setzen von Grenzen ist, dass Sie sich im Voraus für eine *Standardauswahl* entscheiden, wenn Sie sich nicht innerhalb einer bestimmten Zeitspanne entscheiden können. Der Akt des Erstellens der Standardauswahl ist wichtig, weil Sie dann automatisch etwas ausgewählt haben, das Ihren Anforderungen oder Wünschen entspricht. Mit anderen Worten: Sie werden in beiden Fällen zufrieden sein.

In vielen Fällen ist die Voreinstellung das, was Sie die ganze Zeit im Kopf hatten und wo Sie wahrscheinlich landen würden, unabhängig davon, dass Sie die Mühe und endlosen Debatten durchlaufen. Sie wählen mental schon eine „Voreinstellung", mit dem Gedanken, dass Sie sowieso dort enden könnten.

MM #5: Innerhalb von 40-70% bleiben

Verwenden Sie dieses Modell, um ein Gleichgewicht zwischen Information und Aktion herzustellen.

Ein berühmter Komiker hat einen klugen Input zum Thema Kampf gegen die Unentschlossenheit: „Meine Regel lautet: Wenn Sie jemanden oder etwas haben, das zu 70 Prozent Zustimmung findet, dann tun Sie es einfach, denn es passiert Folgendes. Die Tatsache, dass andere Optionen wegfallen, bringt Ihre Wahl sofort auf 80, weil der Schmerz der Entscheidung vorbei ist."

Dies ist überraschend ähnlich wie das, was der ehemalige US-Außenminister Colin Powell zu diesem Thema zu sagen hat. Powell hat ein mentales Modell darüber, Entscheidungen zu treffen und zu einem Punkt des Handelns zu kommen, nicht früher als nötig, aber auch nicht länger als nötig.

Er sagt, dass Sie jedes Mal, wenn Sie vor einer schwierigen Entscheidung stehen, *nicht weniger* als 40% und *nicht mehr* als 70% der Informationen haben sollten, die Sie für diese Entscheidung benötigen. In diesem Bereich haben Sie genug Informationen, um eine fundierte Entscheidung zu treffen, aber nicht so viel Wissen, dass Sie Ihre Entschlossenheit verlieren und einfach nur die Situation überblicken. Dadurch sind Sie schneller als „informierte" Menschen und informierter als „schnelle" Menschen. In gewisser Weise ist es das Beste aus beiden Welten.

Wie kam Powell zu diesem mentalen Modell zur Überwindung von Unentschlossenheit? Er war der Meinung, dass man im Grunde aus der Hüfte schießt, wenn man weniger als 40% der benötigten Informationen hat. Sie wissen nicht genug, um voranzukommen, und werden wahrscheinlich eine Menge Fehler machen. Sie opfern alles nur für die *Geschwindigkeit*.

Umgekehrt, wenn Sie mehr als 70% von dem, was Sie zu brauchen glauben, verfolgen (und es ist unwahrscheinlich, dass Sie wirklich etwas über diesem Niveau brauchen), werden Sie überwältigt, langsam und unsicher werden. Die Gelegenheit kann an Ihnen vorbeigegangen sein und jemand anderes hat Sie vielleicht schon überholt, indem er die Gelegenheit ergriffen und eine Entscheidung getroffen hat. Sie opfern alles nur für die *Gewissheit*.

Sie machen tatsächlich den Fehler, nach 100%igen Informationen und einem narrensicheren Plan zu suchen, bei dem es kein Scheitern geben kann. Viele Menschen, die danach suchen, erkennen nicht, dass sie nach etwas suchen, das es nicht gibt und nur dazu dient, sich selbst die Hände zu binden. Die meisten Menschen verstricken sich in eine Überanalyse und Forschung, die in Prokrastination umschlägt, so dass sie auf eine Zone von Informationen zugehen müssen, die ihnen Unbehagen bereitet.

Aber in diesem „Sweet Spot" zwischen 40% und 70% haben Sie mehr als genug Informationen, und Ihre Intuition kann die Lücken ausfüllen.

Für dieses mentale Modell können wir das Wort „Information" durch so ziemlich alles andere ersetzen: 40-70% gelesen oder gelernt, 40-70% Vertrauen, 40-70% geplant und so weiter. An den unteren Grenzen sind Sie ausreichend vorbereitet, um zumindest einen ersten Schritt zu machen. Denken Sie daran, dass Sie *während* des Entscheidungsprozesses auch Informationen, Vertrauen und Wissen gewinnen, die Sie zu einem höheren Grad an Gewissheit führen können. Es sind nicht ganz unumkehrbare Entscheidungen, aber schneller zu handeln als stillzustehen, hat oft keine Nachteile.

Nutzen Sie dieses mentale Modell, indem Sie absichtlich weniger Informationen konsumieren und sogar übergeneralisieren - das bedeutet, dass Sie nicht auf die Feinheiten Ihrer Optionen achten. Ignorieren Sie absichtlich die Grauzone und rationalisieren oder rechtfertigen Sie

Aussagen nicht, indem Sie sagen „Aber..."
oder „Das stimmt nicht *immer*..."

Die Idee ist, sich nur auf allgemeine, breit
gefächerte Informationen zu konzentrieren
und wie diese Sie beeinflussen.
Angenommen, Sie versuchen, sich für ein
Restaurant zum Abendessen zu
entscheiden. Wie können Sie nun bei so
etwas mehr in „schwarz oder weiß"
denken?

Verallgemeinern Sie Ihre
Restaurantauswahl so, wie Sie sie in einem
einzigen Satz kategorisieren würden.
Restaurant A ist ein Ort für Burger, auch
wenn es fünf Menüpunkte gibt, die keine
Burger sind. Das spielt keine Rolle -
schwarz oder weiß: Es ist ein Burger-Laden.
Wenn Sie den Informationsfluss
einschränken, bleiben Sie auf natürliche
Weise im Bereich von 40-70% und kommen
schneller voran als je zuvor.

MM #6: Reue minimieren

Verwenden Sie dieses Modell, um Ihr zukünftiges Ich bei Entscheidungen zu konsultieren.

Wieder einmal lässt Jeff Bezos einen Tropfen Entscheidungsweisheit in unser Leben einfließen. Einer der reichsten Männer der Welt, hat offensichtlich einige Tricks im Ärmel, die ihn dahin gebracht haben, wo er jetzt ist.

Dies ist das mentale Modell, das Reue vermeidet und gleichzeitig *Bedauern* zum Kernstück unseres Entscheidungskalküls macht.

Jeff Bezos befand sich einst an einem Scheideweg in seinem Leben, an dem er einige schwere persönliche Vorsätze fassen musste. Er entwickelte ein Konzept, das er „Regret Minimization Framework" („Rahmenwerk zur Minimierung von Bedauern") nannte. („Nur ein Fachidiot würde es so nennen", scherzte Bezos.)

Das Konzept des Regret Minimization Frameworks ist recht einfach. Bezos gab sich selbst drei sehr einfache mentale Direktiven:

1. Projizieren Sie sich auf ein Alter von 80 Jahren.

2. Stellen Sie sich vor, Sie blicken in diesem Alter auf Ihr Leben zurück und wissen, dass Sie so wenig wie möglich bereuen wollen.

3. Fragen Sie sich: „Werde ich es in X Jahren bereuen, dass ich diese Aktion (oder *nicht* diese Aktion) durchgeführt habe?"

Dieses mentale Modell nimmt kurzfristige emotionale Turbulenzen aus der Gleichung heraus und erzwingt wirklich eine Perspektive. Wenn Sie auf 80 Jahre projizieren, gewinnen Sie plötzlich Klarheit darüber, was wichtig ist und was nicht. Bedauern ist ein mächtiger Faktor, der Ihnen vielleicht mehr sagt als alle positiven Gefühle der Welt.

Es zwingt Sie auch dazu, über die Zukunft nachzudenken, die Sie eigentlich wollen, im Gegensatz zu der, auf die Sie momentan zusteuern. Zuerst müssen Sie bestimmen, was Sie von Ihrem Leben wollen, und dann können Sie Ihre Entscheidungen darauf ausrichten.

Für Bezos lag die Antwort sofort auf der Hand: Wenn er nicht die Initiative ergreift und in die Internet-Revolution einsteigt, würde er es im Alter von 80 Jahren bereuen. Er würde es bereuen, seine Idee für den Online-Buchverkauf nicht entwickelt zu haben. Er wusste, dass er es *nicht* bereuen würde zu scheitern, aber er würde es *definitiv* bereuen, es nie versucht zu haben.

Als Bezos sein Dilemma so formulierte, kam die Entscheidung fast automatisch. Er kündigte seinen hochbezahlten Job bei einem Hedgefonds - und verzichtete sogar auf seinen Jahresbonus -, zog nach Seattle und begann, Amazon von seiner Garage aus zu leiten.

Das mentale Modell von Bezos ist auf fast jedes Vorhaben anwendbar, ob klein oder groß. Denken Sie an etwas, von dem Sie sich immer sagen, dass Sie es „tun wollen", und das Sie normalerweise ganz leicht *tun können*, es aber aus irgendeinem Grund nicht tun.

Sie wollen einen Blog starten, glauben aber nicht, dass Sie gut genug schreiben können. Sie wollen den Boston-Marathon laufen, glauben aber nicht, dass Sie in Form kommen können. Ein Freund lädt Sie ein, Fallschirmspringen zu gehen, aber die Vorstellung macht Ihnen Angst. Aber Ihr vermeintlicher Mangel an Fähigkeiten oder Mut ist nicht der Punkt. Sie können mit sich selbst über diese Themen verhandeln. Aber wenn Sie sich einfach fragen würden: „Werde ich es in X Jahren bereuen, diese Aktion (oder die Nicht-Aktion) gemacht zu haben", dann hätten Sie eine kristallklare Antwort darauf, was Sie tun sollten.

Lassen Sie uns das in einem größeren, Bezos-mäßigen Maßstab betrachten.

Angenommen, Sie haben die Idee, in einem fernen Land der Dritten Welt beim Aufbau medizinischer Einrichtungen zu helfen. Die Idee gefällt Ihnen, aber Sie haben Angst vor der Realität, ein Jahr lang von zu Hause weg zu sein und an einem Ort zu leben, wo Sie die Sprache, die Kultur oder die Menschen nicht verstehen könnten. All diese Faktoren sind völlig unabhängig vom Bedauern - werden Sie bereuen, dass Sie diese Chance nicht ergriffen haben? Alle Anzeichen deuten auf ein Ja hin. Das bedeutet, dass es wichtig ist, wie Sie sich selbst sehen wollen. Das ist es fast immer wert, verfolgt zu werden.

Fazit:

- Mentale Modelle sind Blaupausen, die wir in verschiedenen Kontexten verwenden können, um der Welt einen Sinn zu geben, Informationen richtig zu interpretieren und unseren Kontext zu verstehen. Sie liefern uns vorhersagbare Ergebnisse. Ein Kochrezept ist die einfachste Form eines mentalen Modells; jede Zutat hat ihre Rolle, ihre Zeit und ihren Ort. Ein Rezept ist jedoch nicht auf alles außerhalb des Bereichs der Lebensmittel anwendbar. Daher befinden wir uns in einer Position, in der wir eine breite Palette von mentalen Modellen (oder ein Gitterwerk, wie Charlie Munger es ausdrückt) erlernen wollen, um uns auf alles vorzubereiten, was auf uns zukommen mag. Wir können nicht für jedes einzelne Szenario ein Modell lernen, aber wir *können* allgemein anwendbare finden. In diesem Kapitel beginnen wir mit mentalen Modellen für intelligentere und schnellere Entscheidungen.

- Mentales Modell 1: „Wichtig" beachten; „Dringend" ignorieren. Das sind völlig unterschiedliche Dinge, die wir oft miteinander vermischen. Wichtig ist das, was *wirklich* wichtig ist, auch wenn die Auszahlung oder die Frist nicht so unmittelbar ist. Dringend bezieht sich nur auf die Schnelligkeit der Reaktion, die gewünscht ist. Sie können ganz einfach die Eisenhower-Matrix verwenden, um Ihre Prioritäten zu klären und dringende Aufgaben zu ignorieren, es sei denn, sie sind zufällig auch wichtig.

- Mentales Modell #2: Visualisieren Sie alle Dominosteine. Wir sind eine kurzsichtige Spezies. Wir denken nur einen Schritt voraus, was die

Konsequenzen angeht, und dann beschränken wir uns typischerweise nur auf unsere eigenen Konsequenzen. Wir müssen in der zweiten Ordnung denken und alle Dominosteine, die fallen könnten, visualisieren. Ohne dies kann man keine gut informierte Entscheidung treffen.

- Mentales Modell #3: Treffen Sie umkehrbare Entscheidungen. Die meisten sind es; einige sind es nicht. Aber wir tun uns keinen Gefallen, wenn wir davon ausgehen, dass alle Entscheidungen endgültig sind, denn das hält uns viel zu lange in der Unentschlossenheit. Schaffen Sie einen Handlungsvorteil für umkehrbare Entscheidungen, denn es gibt nichts zu verlieren und nur Informationen und Geschwindigkeit zu gewinnen.

- Mentales Modell Nr. 4: Streben Sie nach „Satisfiction". Dies ist eine Mischung aus „satisfy" und „suffice" und zielt darauf ab, Entscheidungen zu treffen, die gut genug und angemessen sind und ihren Zweck erfüllen. Dies steht in krassem

Gegensatz zu denjenigen, die ihre Entscheidungen mit „nur für den Fall" und „das klingt nett"-Extras maximieren wollen. Diejenigen, die maximieren, sind auf der Suche nach einer perfekten Entscheidung. Diese gibt es nicht, also bleiben sie in der Regel einfach stehen.

- Mentales Modell #5: Bleiben Sie in einem Rahmen von 40-70%. Dies ist die Regel von Colin Powell. Treffen Sie eine Entscheidung mit nicht weniger als 40% der Informationen, die Sie benötigen, aber nicht mehr als 70%. Alles darunter bedeutet, dass Sie nur raten; alles darüber hinaus bedeutet Zeitverschwendung. Sie können „Informationen" durch so ziemlich alles ersetzen, und Sie werden erkennen, dass es bei diesem mentalen Modell darum geht, schnelle, aber fundierte Entscheidungen zu fördern.

- Mentales Modell Nr. 6: Bedauern minimieren. Jeff Bezos entwickelte das so genannte „Regret Minimization Framework". Darin visualisiert er sich selbst im Alter von 80 Jahren und fragt sich, ob er es bereuen würde, eine Entscheidung zu treffen (oder nicht zu treffen). Dies vereinfacht Entscheidungen, indem sie auf eine einzige Metrik bezogen werden: Bedauern.

Kapitel 2. Wie Sie klarer sehen

Im Allgemeinen sind Ferngläser sehr nützlich. Sie bringen Schärfe und Klarheit in das, was sonst ein unscharfer Farbklecks bliebe. Sie geben uns Einblick in eine Welt, die uns völlig fremd ist: das Leben der Vögel in einem Dschungeldach, die Machenschaften eines Eichhörnchens auf der Suche nach weiteren Eicheln oder eine gasförmige Struktur einiger der Planeten in unserem Sonnensystem.

Und doch macht uns die Verwendung eines Fernglases völlig blind für das, was sich tatsächlich physisch in unserer Nähe und in unserer Reichweite befindet. Wenn Sie ein Fernglas benutzen, können Sie nicht beides: den Wald (das große Bild) und die Bäume (die feineren Details) gleichzeitig sehen.

Beides zu sehen ist im Allgemeinen etwas, das wahnsinnig schwer zu bewerkstelligen ist. Sie müssen die Tendenz Ihres Gehirns, voreilige Schlüsse zu ziehen und Lücken zu füllen, unterdrücken und sich mit der Tatsache auseinandersetzen, dass, wenn Sie Ihre Aufmerksamkeit auf eine Stelle richten, unweigerlich etwas anderes übersehen wird. Selbst wenn wir extrem aufmerksam sind, können wir uns nicht immer darauf verlassen, dass das, was wir sehen und hören, uns ein vollständiges Bild von dem gibt, was geschieht.

Manchmal erhalten wir keine vollständigen Informationen - es gibt immer etwas, das wir *nicht* sehen oder hören *können* und das die Ereignisse beeinflussen könnte. Manchmal verlassen wir uns auf die Geschichten anderer Menschen, die vielleicht Hintergedanken haben, und die Ereignisse so erklären, wie sie es tun. Und wir haben auch unsere *eigenen* Vorurteile und Überzeugungen, die das, was wir sehen, bis zu dem Punkt verfälschen können, an dem unser Urteil ungenau oder fehlerhaft wird.

Der Mensch denkt und sieht nicht von Natur aus objektiv. Sobald wir diese Erkenntnis erlangt haben, können wir besser handeln, um dies zu verhindern. In diesem Kapitel geht es darum, die Welt so wahrzunehmen, wie sie tatsächlich *ist*, etwas, womit selbst die anspruchsvollsten von uns Tag für Tag kämpfen. Diese mentalen Modelle helfen Ihnen, die Ablenkungen und falschen Realitäten des täglichen Lebens zu durchschauen, damit Sie der Kernwahrheit so nahe wie möglich kommen können.

Diese Modelle kommen häufiger zum Einsatz, als Sie vielleicht erwarten. Es gibt zum Beispiel ein Sprichwort, das besagt, dass man, wenn man an einen neuen Ort ziehen möchte, diesen in allen Jahreszeiten oder zumindest in den extremen Jahreszeiten Sommer und Winter besuchen sollte. Es wäre nicht klug, sich eine Meinung zu bilden und seine Entscheidung auf der Grundlage eines fünftägigen Besuchs zu treffen, zu dessen Zeit zufällig das beste Wetter der letzten 10 Jahre war.

Jede gegebene Situation oder jedes Objekt, egal wie stark oder beständig es erscheinen mag, unterliegt der Veränderung durch die umgebenden Bedingungen oder Ereignisse. Wenn Sie Chicago nur im Sommer besucht haben, werden Sie vielleicht glauben, dass es ein feuchter und heißer Ort ist, was es auch ist - im Sommer. Aber jeder, der schon einmal einen Schneesturm in Chicago erlebt hat, kann Ihnen sagen, dass die Stadt im Winter ganz anders aussieht. Irgendwo dazwischen gibt es ein paar Tage mit gemäßigtem angenehmen Wetter, aber wenn das Ihre Erwartung ist, werden Sie schwer enttäuscht sein.

Wenn es um Informationen geht, ist weniger *nicht* mehr. Es kann leicht passieren, dass man sich von den Fakten überfordert und überwältigt fühlt, ganz zu schweigen von den Interpretationen und Erklärungen anderer zu all diesen Fakten. Aber es gibt wirklich keinen Ersatz dafür, so viel Intelligenz und Wissen zu haben, wie Sie sammeln können.

Diese übergreifende Denkweise ermutigt Sie, so viele Informationen über eine

Situation oder ein Thema in einer Vielzahl von verschiedenen Hintergründen, Umgebungen und Bedingungen zu erhalten, wie Sie nur können. All diese Informationen verhindern, dass Sie vorschnelle Urteile, blinde Annahmen und ungenaue Projektionen treffen - alles Dinge, die Sie vermeiden müssen, um bessere Entscheidungen zu treffen.

Um eine breitere, vollständigere Sichtweise auf alle Situationen zu entwickeln, werden wir dieses allgemeine mentale Modell in drei spezifischere Vorlagen aufteilen.

MM #7: „Schwarze Schwäne" ignorieren

Verwenden Sie dieses Modell, um zu verstehen, wie Ausreißer Ihr Denken nicht wirklich ändern sollten.

Bis fast ins 18. Jahrhundert hinein glaubten die Menschen in der westlichen Welt - was sich damals im Wesentlichen auf Europa bezog -, dass alle Schwäne weiß seien. Ihre Argumentation war einfach: Sie hatten nie etwas *anderes als* weiße Schwäne gesehen. In Ermangelung von Schwänen anderer

Farben oder Schattierungen hatten sie keinen Grund zu glauben, dass es Schwäne in anderen Farben gab. Es kam ihnen nicht einmal in den Sinn.

Doch 1697 reiste der holländische Entdecker Willem de Vlamingh nach Australien, ein Gebiet, das die Europäer erst 1606 zu bereisen begannen; es war noch ein relativ neues Grenzgebiet für sie. Bei der Erkundung des heutigen Swan River in der Nähe der heutigen Stadt Perth in Westaustralien sahen de Vlamingh und seine Mannschaft etwas, was kein Europäer je zuvor gesehen hatte: schwarze Schwäne - und zwar jede Menge davon. Die Nachricht von ihrer Entdeckung hatte einen starken Einfluss und stellte einige Glaubenssätze über die Zoologie auf den Kopf, die auf dem Prinzip basierten, dass alle Schwäne weiß seien.

Auf Wiedersehen Jahrhunderte vermeintlichen Wissens, hallo unbestreitbarer Beweis der Unrichtigkeit. Was wäre, wenn Schwäne alle Farben des Regenbogens haben könnten? Was bedeutet das für den Menschen? Was sind die weitreichenden Implikationen der Entdeckung eines schwarzen Schwans?

Der Statistiker Nassim Nicholas Taleb adaptierte dieses Stück Geschichte und formte daraus die Theorie des „schwarzen Schwans". Taleb verwendet den schwarzen Schwan als Metapher, um unvorhersehbare Ereignisse zu beschreiben, die eine massive Veränderung der Wahrnehmung, der Perspektive und des Verständnisses bewirken. In seiner Definition ist ein schwarzer Schwan jedoch etwas, das die Wahrnehmung oder das akzeptierte Wissen *nicht* verändern sollte, weil es ein so anomaler Ausreißer ist. Es kann einfach ein Bewusstsein für Möglichkeiten schaffen, aber die meisten schwarzen Schwan-Ereignisse verdienen es nicht, im täglichen Leben berücksichtigt zu werden. Vielleicht bedeutet es einfach nur, dass es Schwäne in weiß und schwarz gibt, und dass Glaubenssysteme über Zoologie nicht über Bord geworfen werden müssen.

Als kurzes Beispiel: Das Wissen, dass ein Blitz in einen Baum in der Nähe eingeschlagen ist, kann beängstigend sein, und es könnte Sie dazu ermutigen, Ihr Haus mit Erdungsstangen auszustatten. Aber sollte ein solches einmaliges Ereignis die Art und Weise beeinflussen, wie Sie Ihr Leben, indem Sie drinnen bleiben, sobald es zu regnen beginnt, immer ein Metallschild mit sich herumtragen oder in einen Teil der Welt ziehen, in dem es wenig bis gar nicht regnet, wie in der Wüste? Bedeutet es, dass wir alle in den Untergrund ziehen sollten, um als Maulwurfsmenschen zu leben? Nein, dieses Ereignis sollte keinen solchen Einfluss haben.

Auf globaler Ebene könnten Ereignisse wie der Fall der Berliner Mauer, die Ermordung einer bekannten Persönlichkeit und die Tragödie des 11. Septembers als schwarze Schwäne betrachtet werden. Auf einer persönlicheren Ebene könnten sie die plötzliche Schließung einer Fabrik, die Übernahme eines lokalen Unternehmens durch einen Großkonzern, die Scheidung der Eltern, ein Einbruch in ein Haus als schwarze Schwäne betrachten - alles, was unsere Platzierung oder unsere persönlichen Ansichten stört und umwirft. Sicherlich gibt es Auswirkungen, aber wie stark sollten wir diese Ausreißer wirklich berücksichtigen?

So nervenaufreibend, drastisch und kataklysmisch schwarze Schwan-Ereignisse auch sein mögen, ihre Gesamtbedeutung für das eigene Glaubenssystem oder Weltbild kann *überschätzt* werden. Da es in der menschlichen Natur liegt, könnte man sogar versuchen, ein Schwarzer-Schwan-Ereignis zu relativieren und es im Nachhinein zu entschuldigen: „Nun, wenn man wirklich darüber nachdenkt, waren alle Zeichen da und wir hätten es kommen sehen müssen." Eine solche Sichtweise neigt dazu, unser Verständnis und Glaubenssystem umzuschreiben.

Und das ist ein Problem, denn egal wie verheerend oder überwältigend ein Schwarzer-Schwan-Ereignis sein mag, es ist immer noch eine Unregelmäßigkeit oder Anomalie. Schwarze-Schwan-Ereignisse sind nicht „die Norm". Viele von ihnen treten nicht mehr als ein- oder zweimal im Leben auf. Aber ihre schockierende, manchmal katastrophale Natur kann einen dazu bringen, sein Wissen, seine

Überzeugungen und seine Weltanschauung zu verändern, zu verzerren oder umzuwerfen. Die Macht eines Schwarzen Schwans kann verheerend sein - aber rechtfertigt er die Bedeutung, die wir ihm zuschreiben?

Taleb sagt, dass es drei Elemente für ein Schwarzer-Schwan-Ereignis gibt.

Es ist eine große Überraschung. Das betreffende Geschehen oder Ereignis muss völlig unvorhersehbar sein. Es kann keine Möglichkeit geben, dass der Beobachter es im Voraus hätte kommen sehen.

Es hat einen großen Effekt. Das Schwarze-Schwan-Ereignis muss irgendeine Art von schicksalhaftem oder immensem Ergebnis haben, egal ob es physisch, strukturell oder emotional ist.

Menschen versuchen, es zu rationalisieren, nachdem es passiert ist. Nachdem das Schwarze-Schwan-Ereignis zum ersten Mal eintritt, suchen die Betroffenen vielleicht nach „Anzeichen, die sie übersehen haben" oder versuchen im Nachhinein zu erklären, wie man das Ereignis überhaupt *hätte* erwarten sollen.

Dieses dritte Element ist der Punkt, an dem man in Schwierigkeiten gerät. Ein Schwarzer-Schwan-Ereignis kann so allumfassend, ja traumatisch sein, dass es eine umfassende Reformation der eigenen Überzeugungen oder der persönlichen Politik erzwingen könnte. Aber ein Schwarzer-Schwan-Ereignis ist immer noch ein Ausreißer, vor allem, wenn es ein zufälliger Blitz aus heiterem Himmel ist, den man unmöglich hätte vorhersehen können. Einem schwarzen Schwan zu viel Bedeutung beizumessen und ihn für weitreichende Veränderungen verantwortlich zu machen, die es zum Zeitpunkt des Ereignisses noch nicht gab, ist im Grunde unsinnig.

Bei diesem mentalen Modell geht es darum, über die Schwere eines schwarzen Schwan-Ereignisses hinwegzusehen, herauszuzoomen und das Gesamtbild zu sehen. Lassen Sie nicht zu, dass die Möglichkeit weiterer Blitze Sie dazu bringt, in die Wüste zu ziehen. Das Eingehen auf

Ereignisse mit schwarzen Schwänen geht zu Lasten aller anderen Glaubenssysteme und verursacht hohe Opportunitätskosten.

Wenn Sie mit großen Ereignissen konfrontiert werden - geschäftlich oder privat - lassen Sie Raum, um in Betracht zu ziehen, dass es sich sehr wohl um ein Ereignis des schwarzen Schwans handeln könnte, das zwar wichtig, aber nicht sehr informativ oder aussagekräftig ist. Organisieren Sie bloß nicht Ihre gesamte Strategie um die Wahrscheinlichkeit eines Ereignisses der schwarzen Schwäne herum; sofern Sie nicht für die Federal Emergency Management Agency (FEMA) arbeiten, werden Katastrophen kein alltäglicher Teil Ihrer Existenz sein.

Lassen Sie sich Worst-Case-Szenarien *einfallen*. Aber holen Sie sich dann in die Realität zurück. Ist es wahrscheinlich, dass dieses Ereignis wieder eintritt? Wie sehr war es ein Ausreißer? Können wir vernünftigerweise überhaupt etwas dagegen tun? Sollte es die Art und Weise ändern, wie wir handeln, wenn es von Zeit zu Zeit unvermeidlich ist? Wenn der Blitz ein paar Mal pro Jahrzehnt einschlägt, lohnt es sich dann, den gesamten Betrieb und das Haus umzurüsten, um dem Rechnung zu tragen? Mit anderen Worten: Sollten Sie aufhören, Auto zu fahren, weil Sie gehört haben, dass ein Bekannter in einen Unfall verwickelt wurde?

Eine kluge Planung wird immer versuchen, Risikofaktoren zu sehen, aber sie muss sie auch genau erfassen. Das Leben ist voller Risiken - wir gehen sie jeden Tag ein, wenn wir die Straße überqueren. Aber das Leben muss weitergehen. Sie sollten Ihr Leben nicht in der Angst vor einem Schwarzer-Schwan-Ereignis leben, aber Sie können und sollten einfach ein paar Momente darüber nachdenken, wie diese eintreten könnten und wie sie darauf reagieren könnten.

Wenn wir die Ereignisse des schwarzen Schwans ein wenig herauszoomen, werden Sie erkennen, dass wir versuchen, ein vorhersagbares Muster in einer eigentlich zufälligen Reihe von Ereignissen zu finden. Dies ist bekannt als der Trugschluss des Glücksspielers, benannt nach

Empfindungen wie dem Würfeln eines Paares von Würfeln und dem Gefühl, dass man schließlich eine Sieben würfeln muss, weil es schon *eine Weile her ist* oder *man fällig ist.*

Ungeachtet der Tatsache, dass dies weder statistisch noch probabilistisch fundiert ist, versuchen Sie, Ordnung in etwas zu bringen, über das Sie keine Kontrolle haben. Der Trugschluss des Glücksspielers ist die Vorstellung, dass, nur weil X passiert ist, Y passieren sollte, X nicht passieren sollte oder X wieder passieren sollte. Meistens sind diese Ereignisse jedoch alle unabhängig voneinander, und das sollte Ihre Entscheidungsfindung leiten, um weniger voreingenommen zu sein.

Der Spielertrug ist repräsentativ für ein breiteres Phänomen, das als *Apophänie* bekannt ist, d.h. die menschliche Tendenz, Muster und Zusammenhänge durch zufällige Datenpunkte zu sehen, die meist auch mit *zu wenigen* Datenpunkten zusammenfallen. Dies ist der Grund, warum Menschen Kaninchen in Wolken und kunstvolle Szenen durch Tintenkleckstests sehen.

MM #8: Suchen Sie nach Gleichgewichtspunkten

Verwenden Sie diese Funktion, um echte Muster in Daten zu finden und sich nicht täuschen zu lassen.

Der zweite Teil des allgemeinen mentalen Modells, eine Stadt zu allen Jahreszeiten zu besuchen oder einfach das ganze Bild zu sehen, hat mit den so genannten *abnehmenden Erträgen zu* tun.

Dies ist ein ökonomisches Prinzip, das beschreibt, dass eine Zunahme der Ressourcen nicht immer mit einer Zunahme des gewünschten Ergebnisses einhergeht. Im Klartext bedeutet dies, dass Sie vielleicht ekstatisch sind, wenn Sie einen Donut essen, die Freude aber drastisch abnimmt, wenn Sie zu Donut Nummer zehn kommen. Es gibt keine lineare Beziehung zwischen Input und Output.

Was wir von unseren Bemühungen zurückbekommen, nimmt gegenüber dem, was wir gesucht haben, ab; es gibt eine natürliche Verfallsrate, denn je mehr Ressourcen wir in etwas hineinstecken, desto weniger bekommen wir davon heraus. Manchmal ist es sogar eine umgekehrte Beziehung (je mehr Ressourcen, desto weniger Output).

Der Fehler, den wir oft machen, ist, dass wir unsere Annahmen, Vorhersagen, Projektionen oder Informationen im Allgemeinen auf die Annahme stützen, dass der Input immer dem Output entspricht. Wir sollten besser an glänzenden Anfängen vorbeischauen, die falsch sind, und auf das Gleichgewicht warten, denn daraus sollten wir unsere Schlüsse ziehen. Es gibt zwar nicht notwendigerweise eine vorhersagbare Rate, der abnehmende Erträge folgen, aber die Existenz dieser Rate ist im Allgemeinen vorhersagbar. Wenn Sie das nicht berücksichtigen, sind Sie kurzsichtig und sehen die Welt nicht so, wie sie ist.

Wenn Sie ein neues Instrument lernen, werden Sie am Anfang große Sprünge machen, weil alles neu ist. Es ist leicht, vom absoluten Anfänger zum Spielen von

„Twinkle Little Star" überzugehen, und doch stellt das eine mathematisch unendliche Menge an Verbesserung dar. Allerdings wird sich dieser Fortschritt schnell verlangsamen, und Sie müssen sich immer mehr anstrengen, um sich weiter zu verbessern. Und wie wird es Ihnen dann gehen, wenn Sie sich ständig anstrengen müssen? Das ist das Gleichgewicht, in dem Ihre wahre Verbesserungsrate liegt.

Das Gesetz des abnehmenden Ertrags ermutigt uns, nach Gleichgewichtspunkten zu suchen, um Informationen genau zu bewerten und zu lernen. Genau wie bei Ereignissen des Schwarzen Schwans können Sie Ihre Urteile nicht auf Ausreißer oder verzerrte Informationen stützen.

Aber Gleichgewichtspunkte gelten auch dafür, wie viel Aufwand wir für ein Ergebnis betreiben sollten.

Meistens, wenn wir uns entscheiden, mehr „Input" in unsere Arbeit zu stecken, geht etwas anderes tendenziell verloren. Wenn Sie versuchen, 900 Wörter pro Minute zu lesen, werden Sie die Aufnahmefähigkeit und das Verständnis verlieren, was für die Gesamtaufgabe des Lesens viel wertvoller ist. Wenn Sie versuchen, zu intensiv Klavier zu lernen, werden Sie ausbrennen und anfangen, es zu hassen. Wenn Sie versuchen, neun Stunden lang am Stück zu lernen, werden Sie sich wahrscheinlich nicht viel merken. Wenn Sie das Gesetz des abnehmenden Ertrags nicht erkennen, wird es Ihnen in der Regel schaden.

Dieses mentale Modell hat also zwei Anwendungsbereiche: erstens, um Informationen über andere genauer zu analysieren; zweitens, um zu wissen, wo Ihre eigenen Gleichgewichtspunkte sind und wann Sie überdenken sollten, wie viel Aufwand Sie für die Ergebnisse betreiben, die Sie erhalten.

Das bedeutet nicht, dass Ihre Bemühungen wertlos sind - wenn Sie *nicht* auf etwas hinarbeiten, werden Sie im Allgemeinen nichts bekommen. Aber aus dem gleichen Grund bedeutet die Tatsache, dass Sie immer härter auf etwas hinarbeiten, nicht, dass Ihre Belohnungen im Verhältnis zu Ihren Bemühungen steigen.

Für die Antwort müssen wir den ganzen Weg zurück zu Mutter Gans gehen: Sei wie Goldlöckchen und finde eine Zone der Zufriedenheit.

Für den Fall, dass Sie eine Auffrischung benötigen: Goldlöckchen war das sagenumwobene Mädchen, das in das Haus von drei Bären ging, während diese unterwegs waren, und anfing, all ihr Essen und ihre Möbel auszuprobieren. Sie fand den Stuhl des Bärenvaters „zu hart", den der Bärenmutter „zu weich" und den des Bärenbabys „genau richtig". In anderen Fällen ist Goldlöckchen wählerisch, was die Größe der Schüsseln und den Geschmack des Essens angeht.

Wenn Sie über die Tatsache hinwegsehen können, dass Goldlöckchen anscheinend nichts dagegen hatte, in das Haus eines wilden Tieres einzubrechen, ist die Moral der Geschichte, dass es eine bestimmte Zone der Zufriedenheit gibt, in der Ihr Einsatz und Ihre Bemühungen ein akzeptables Maß an Zufriedenheit oder Ergebnis liefern. Wenn Sie zu viele Ressourcen und Anstrengungen aufwenden, bewegen Sie sich aus dieser Zone heraus - zu wenig Ergebnis. Wenn Sie zu wenig aufwenden, bewegen Sie sich aus der Zone heraus - zu wenig Ergebnis. Wenn Sie zu viel oder zu wenig Ergebnisse erwarten, bewegen Sie sich ebenfalls aus der Zone heraus.

Um die Welt klar zu sehen, muss man ein klares Verständnis von Ursache und Wirkung haben.

MM #9: Warten Sie auf die Regression zum Mittelwert

Verwenden Sie dieses Modell, um echte Muster in Daten zu finden und sich nicht täuschen zu lassen. (Ja, schon wieder)

Wie in der Diskussion über Ereignisse des schwarzen Schwans erwähnt, halten wir manchmal ein „extremes" oder außergewöhnliches Ereignis für etwas, um das herum wir planen müssen, aber meistens ist das Ereignis nur ein „Ausreißer", der nicht wirklich bedeutet, wie die Dinge sind. Selbst wenn ein großes Ereignis oder eine Begebenheit unsere unmittelbare Umgebung erschüttert, sollte dies nicht automatisch zur Bestimmung einer „neuen Realität" genutzt werden. Höchstwahrscheinlich wird das Schwarze-Schwan-Ereignis keine totale, völlige Veränderung Ihrer täglichen Erfahrungen oder Überzeugungen bewirken (oder sollte es zumindest nicht).

Damit verbunden ist die Idee der „Regression zum Mittelwert". Für diejenigen unter Ihnen (wie mich), denen Mathe nicht gerade in Fleisch und Blut übergegangen ist, stellt der „Mittelwert" im Wesentlichen so etwas wie einen „Durchschnitt" dar: es gib einen Mittelwert, der eine Art Normalität, einen „typischen" Wert anzeigt. In unserer Definition bedeutet „der Mittelwert" den üblichen oder häufigsten Zustand einer gegebenen Situation.

Betrachten Sie zum Beispiel eine Woche mit Familienessen. Wahrscheinlich isst die Familie mindestens fünfmal pro Woche zu Hause. Am Wochenende oder zu besonderen Anlässen geht die Familie vielleicht in ein Restaurant und isst eine teurere Mahlzeit, die sie nicht selbst kochen muss. Das ist allerdings ein Ausreißer. Normalerweise isst die Familie zu Hause, und das ist „der Durchschnitt".

Vielleicht gehen sie eine Woche lang in ein richtig teures Restaurant. Vielleicht gehen sie eine Woche lang auf eine Kreuzfahrt und essen jede einzelne Mahlzeit in einem luxuriösen Ozeandampfer. Aber das werden sie nicht jeden einzelnen Tag tun. *Irgendwann* werden sie zu ihrer gewohnten Routine zurückkehren und zu Hause essen, ohne viel Schnickschnack. Das ist ihre übliche Praxis - das Mittelmaß - und *irgendwann* werden sie „zurückfallen" und sich wieder daran gewöhnen.

Nehmen Sie das gängige Beispiel, wie obsessiv und optimistisch ein Paar ist, wenn es frisch zusammenkommt. Dies wird als die *Flitterwochenzeit* bezeichnet und ist von neuer Beziehungsenergie durchdrungen. Aber es wäre ein Fehler, anzunehmen, dass dieses Maß an Liebe und Besessenheit wirklich repräsentativ für die Beziehung ist. Es wird bald eine Regression zu einer normalen und nachhaltigen Rate der *Liebe* geben - die *wirkliche* Rate der Liebe, die zu erwarten ist. Das ist der Zeitpunkt, an dem man weiß, ob eine Beziehung mehr ist als ein Hormoncocktail.

Wenn Sie ein Basketballspieler sind und seit langem mit einer Trefferquote von 40% spielen, ist das Ihr Mittelwert. Wenn Sie anfangen, mit einer Rate von 50% zu treffen, bedeutet das nicht, dass Sie plötzlich ein besserer Spieler sind, denn irgendwann werden Sie einfach zum Mittelwert zurückkehren. Ausreißer, die als Muster oder Abweichung erscheinen, können uns täuschen.

Regression zum Mittelwert geschieht mit jedem Aspekt unseres Lebens. Wenn Sie anfangen, sich mit jemand Neuem zu verabreden, wird Ihre Wohnung sauber und Ihre Hygiene wahrscheinlich tadellos sein. Und doch stellt dies keine wirkliche Verhaltensänderung Ihrerseits dar. Wenn die Beziehung länger und alltäglicher wird, werden Sie in Ihrer Sauberkeit und Hygiene zum Mittelmaß zurückgehen. Wenn es von Anfang an keine Grundlage für eine

Veränderung gab, werden die Dinge irgendwann einfach wieder normal werden.

Eine etwas *wissenschaftlichere* Erklärung für die Regression zum Mittelwert, die ursprünglich von dem britischen Statistiker Sir Francis Galton entwickelt wurde, besagt, dass in jeder Abfolge von Ereignissen, die von verschiedenen Bedingungen oder Variablen - wie Umgebung, Emotionen und einfachem Glück - beeinflusst werden, auf außergewöhnliche Ereignisse in der Regel gewöhnliche, typische folgen. Wenn also ein abnormales, abweichendes oder untypisches Ereignis eintritt, ist es sehr viel wahrscheinlicher, dass es nicht noch einmal auf eine bestimmte Art und Weise passiert. Vielmehr ist das Muster, das viel wahrscheinlicher wiederkehren wird, „das Gewöhnliche bzw. das Mittelmaß".

Dieses mentale Modell ermutigt Sie, einfach abzuwarten. Wenn etwas Extremes passiert, warten Sie auf die Erholung. Wenn etwas Unerwartetes oder Unvorhergesehenes passiert, warten Sie auf die Nachwirkungen. Wenn etwas scheinbar im Trend liegt, warten Sie ab, was passiert, nachdem es aufhört, im Trend zu liegen (z. B. der scheinbare Trend der Schlaghosen alle paar Jahrzehnte).

Denken Sie daran, dass ohne eine tatsächliche Grundlage für eine Änderung oder ein extremes Ereignis, der Mittelwert immer das tun wird, was Arnold Schwarzenegger in „Terminator" sagte: „Ich komme wieder."

Lassen Sie den gesamten Zyklus ablaufen und bewerten Sie *alle* Informationen, auf die Sie in dieser Zeit stoßen werden. Machen Sie keine voreiligen Schritte oder Planänderungen nach dem Auftreten des großen, abnormalen Ereignisses. Wenn Sie geduldig sind und abwarten, bis die Ereignisse zu ihrem normalen Zustand zurückkehren, erhalten Sie ein viel besseres Gefühl dafür, wie sich die Situation verändert hat. Statistisch gesehen, wird es wahrscheinlich gar nicht so viel sein.

Eine Stadt in allen vier Jahreszeiten zu besuchen, mag schwierig, zeitaufwendig und mühsam sein, aber diese drei mentalen Modelle sind nur der Anfang, wie man richtig Informationen sammelt und sich nicht von verführerischen, aber falschen Perspektiven beeinflussen lässt. „Schwarze-Schwan-Ereignisse", Gleichgewichtspunkte und Regressionen auf den Mittelwert trüben unser Urteilsvermögen, weil sie eher emotional als realistisch sind.

Ein wesentlicher Aspekt, um das Gesamtbild zu sehen, ist zu verstehen, wann Dinge miteinander verknüpft sind und wann nicht. Wir haben die Tendenz, eine Ursache-Wirkungs-Beziehung zu konstruieren, wo es keine gibt.

Dafür gibt es klare psychologische Gründe. Ungewissheit macht den Menschen Angst. Zumindest zeitweise wollen wir wissen, was in der nahen und fernen Zukunft passieren wird. Wenn wir es nicht mit harten Beweisen oder Daten herausfinden können, nutzen wir unsere Instinkte, Bauchgefühle oder „Ahnungen".

Manchmal sind diese Ahnungen richtig und können eine Menge Ärger ersparen. Aber meistens sind diese Ahnungen keine wirklichen Informationen und sind eher eine Verschwendung unserer analytischen Ressourcen. Selbst die, die sich als richtig herausstellen, sind eher vergleichbar mit einer angehaltenen Uhr, die standardmäßig zweimal am Tag richtig geht. Jeder hat seine Glückssträhnen.

Wenn wir diese schon Tendenz haben, können wir genauso gut versuchen, sicherzustellen, dass sie so genau und klar wie möglich ist. Es gibt keine todsichere Methode, um alles, was in der Zukunft passieren wird, genau vorherzusagen. Aber es gibt einige mentale Modelle, die wir verwenden können, um die Wahrscheinlichkeit zu bestimmen, dass bestimmte Ereignisse eintreten - oder, was noch hilfreicher ist, uns auf die Ergebnisse vorzubereiten, die sich ergeben. Sie erlauben es uns nicht, die Zukunft vorherzusagen, aber sie ermutigen uns, die Kette von Ereignissen zu analysieren und probabilistisches Denken in unser tägliches Leben einzubauen.

Diese Modelle verlassen sich auf Objektivität und Logik anstelle von subjektiven Emotionen und Intuition. Sie helfen uns auch zu verstehen, wann unsere Analysen bestimmter Situationen und korrelierter Ereignisse funktionieren, oder ob wir Assoziationen und Verbindungen zwischen Ereignissen herstellen, die eigentlich keinen Bezug zueinander haben. Das Ziel mit diesen Modellen ist es, die Zukunft präziser und praktischer zu bewerten und zu planen.

MM #10: Was würde Bayes tun?

Verwenden Sie dieses Modell, um Wahrscheinlichkeiten zu berechnen und die Zukunft auf der Grundlage realer Ereignisse vorherzusagen.

Wir treten nun aus dem Schatten des Versuchs heraus, Vorhersagen aus unzureichenden Informationen zu gewinnen. In diesem nächsten mentalen Modell geht es darum, was wir *eigentlich* verwenden sollten, um zu versuchen, Schlussfolgerungen zu ziehen.

Trotz der Tatsache, dass niemand die Zukunft vorhersagen kann, versuchen wir es trotzdem. Manchmal, wenn wir uns nach einem Gefühl der Sicherheit darüber sehnen, wie sich zukünftige Ereignisse entfalten werden, verlassen wir uns auf „Experten" in den Medien, die furchtlos in Fernseh- und Radiosendungen ihre gelehrten Meinungen darüber kundtun, was morgen, nächste Woche oder nächstes Jahr geschehen wird. Wenn es eine noch so kleine Information gibt, können Sie darauf wetten, dass jemand darauf basierend eine falsche Vorhersage machen wird.

Das Problem ist, dass diese berühmten Leute nicht viel besser die Zukunft vorhersagen können als wir. Denken Sie an all die großen, unvorhergesehenen Ereignisse, die im letzten Vierteljahrhundert stattgefunden haben - die Chancen stehen gut, dass die größten Ereignisse die sind, die niemand hat kommen sehen, und am wenigsten die Analysten auf dem Bildschirm, deren Jobs scheinbar von ihren Vorhersagen abhängen. Sie sind gut für die Einschaltquoten und sorgen dafür, dass sich die Menschen zumindest vorübergehend besser fühlen, wenn es um die Zukunft geht.

Aber sie liegen in der Regel falsch, unabhängig davon, auf welcher Seite des Gedankenspektrums sie sich befinden. Der Versuch zu verstehen, was in der nahen Zukunft passieren wird, wird eher zum Spiel mit gewagten Vermutungen als zu einem aufrichtigen Versuch einer Prognose.

Das Einzige, was dieses mentale Modell untermauert, ist das, was sie selten berücksichtigen.

Und das ist ein Problem, das wir als bewusste Menschen haben: Manchmal wird es für uns schwierig, das „Rauschen" herauszufiltern und uns auf die objektiven „Signale" zu konzentrieren, die mehr von der Wahrheit über bestimmte Situationen, einschließlich der Zukunft, enthüllen.

Das bestätigt Nate Silver, der wohl berühmtest Statistiker der Welt, mit dem Titel seines 2012 erschienenen Buches: *Die Berechnung der Zukunft*. Silvers Buch befasst sich mit der Frage, warum so viele Medien-Wahrsager (manchmal auch er selbst) so fehlerhafte Vorhersagen machen. Eines der häufigsten Probleme, so Silver, ist ihre anhaltende Unfähigkeit, zwischen Faktoren, die wirklich wichtig sind, und den „verrauschten" Nicht-Faktoren zu unterscheiden, die einer objektiven Analyse immer wieder in die Quere kommen.

Obwohl es kein bewährtes Modell gibt, das eine narrensichere Formel für die Vorhersage der Zukunft liefert (offensichtlich), stellt Silver ein Theorem auf, das zumindest etwas Klarheit über die Ereignisse in der Welt schaffen und zumindest zu einem besseren Verständnis unserer Welt führen kann. Wenn es auch nicht zu einer höheren Rate erfolgreicher Vorhersagen führt, so *kann* es doch zu einem Zustand führen, besser informiert zu sein und mit der Realität umgehen zu können.

Diese Vorlage ist als *Bayes' Theorem* bekannt, benannt nach dem Mathematiker Thomas Bayes aus dem 18. Jahrhundert. Die *Encyclopedia Britannica* definiert das Bayes'sche Theorem als „ein Mittel zur Revision von Vorhersagen im Lichte relevanter Beweise, auch bekannt als bedingte Wahrscheinlichkeit oder inverse Wahrscheinlichkeit."

Jargon beiseite, es ist eine Formel für die Vorhersage, was passieren könnte, *wenn* andere sinnvolle Ereignisse eingetreten sind. Das Bayes'sche Theorem beschäftigt sich mit der *Wahrscheinlichkeit*, denn natürlich ist nichts sicher oder unvermeidlich. Aber es hat Unternehmen wie Google und IBM geholfen, mit Wahrscheinlichkeiten zu experimentieren und Ideen zu generieren, und es hat sich auch als nützlich für Sportwettende und diejenigen erwiesen, die sich mit vorhersagenden Wissenschaften wie der Klimawissenschaft beschäftigen. Ganz einfach: Wenn A eintritt und mit B zusammenhängt, kann man eine greifbare Wahrscheinlichkeit generieren.

Es gibt eine tatsächliche Formel für den Satz von Bayes, und obwohl ich nicht darauf erpicht bin, Ihnen ein mathematisches Problem zu geben, das Sie lösen müssen, ist es hilfreich, zumindest zu wissen, wie die Formel aussieht:

$$P(A|B) = \frac{P(A) \times P(B|A)}{P(B)}$$

Die Wahrscheinlichkeit, dass A eintritt, wenn B bereits eingetreten ist, wird als P(A|B) geschrieben. A ist das, was Sie lösen und was Sie entsprechend vorhersagen wollen.

Die Wahrscheinlichkeit, dass B eintritt, wenn A bereits eingetreten ist, wird als *P(B|A)* geschrieben.

Die Wahrscheinlichkeit, dass A allein ohne B eintritt, wird als P(A) geschrieben.

Die Wahrscheinlichkeit, dass B allein ohne A eintritt, wird als P(B) geschrieben.

Nehmen Sie sich einen Moment Zeit, um zu verarbeiten, was genau quantifiziert wird. Es wird ein Prozentsatz erstellt, bei dem Sie im Wesentlichen Wahrscheinlichkeiten abwägen, basierend auf dem, was passiert ist und was nicht. Es ist eigentlich viel einfacher, dies anhand eines Beispiels zu veranschaulichen.

Sie brauchen nur drei Zahlen, und schon können Sie eine grobe Wahrscheinlichkeit für ein zukünftiges Ereignis ermitteln. Sie benötigen die Wahrscheinlichkeiten von Ereignis A, Ereignis B und Ereignis B, wenn A eingetreten ist. Tornados sind selten (1% Wahrscheinlichkeit), aber starke Winde sind ziemlich häufig (10%) und 90% der Tornados verursachen starke Winde. Sie möchten wissen, wie hoch die Wahrscheinlichkeit ist, dass ein Tornado auftritt, wenn es Stürme gibt. Die Gleichung lautet wie folgt:

Wahrscheinlichkeit (Tornado|Stürme) = *__P(Tornado)__* × *__P(Stürme|Tornado)__*

P(Stürme)

Wahrscheinlichkeit (Tornado|Stürme) = *__1% × 90%__*

10%

Wahrscheinlichkeit (Tornado|Stürme) = 9

Die Wahrscheinlichkeit für einen Tornado bei starkem Wind beträgt also 9%. Wie Sie sehen, brauchen Sie nur drei Zahlen, und dann müssen Sie die Zahlen nur noch in die

Bayes-Formel einsetzen. Am Ende ist diese Zahl mehr in der Realität verwurzelt als das, was jeder Experte Ihnen sagen könnte.

Sie können dies in einer beliebigen Anzahl von Umständen verwenden, von groß bis klein, von unbedeutend bis lebensverändernd. Das Bayes'sche Theorem ist mächtig, weil es uns erlaubt, Unsicherheit und Gewissheit mit nur einer kleinen Anzahl von Variablen tatsächlich zu quantifizieren. Es ahmt die Analyse des realen Lebens auf eine Art und Weise nach, die wir normalerweise nur im Nachhinein verwenden. Und die Informationen, die es liefert, helfen uns, uns in der Realität zu verankern. Zahlen lügen schließlich nicht. Die Formel ermöglicht es uns, das Rauschen dessen, was sich als wirkungsvoll ausgibt, zu durchdringen und es mit etwas Realem und Wichtigem zu verbinden.

Verwenden Sie also bei Ihrer weiteren Suche nach klarem Denken das mentale Modell und fragen Sie: „Was würde Bayes tun?" Er würde aufhören, Annahmen zu treffen, sich auf das konzentrieren, was wirklich im realen Leben passiert, und eine Wahrscheinlichkeit ausspucken, die Ihnen hilft, Dinge zu bewerten und Entscheidungen zu treffen. Das Bayes'sche Denken bringt es mit sich, dass Sie Ihre Wahrscheinlichkeiten basierend auf neuen Informationen ständig aktualisieren müssen und dass, obwohl alles unsicher ist, es sicherer ist, als Sie denken.

MM #11: Mach es wie Darwin

Dieses Modell verwendet, um die echte, ehrliche Wahrheit in einer Situation zu suchen.

Klar zu sehen bedeutet auch, beide Seiten der Medaille zu sehen. Dafür haben wir ein mentales Modell, das von keinem Geringeren als Charles Darwin selbst stammt.

Charles Darwin, der Naturforscher, dessen Theorien über die Evolution und die Entwicklung der Arten weitreichende Auswirkungen auf die Wissenschaft hatten, die bis heute andauern, war offenbar kein Genie. Er war nicht besonders gut in Mathe.

Er hatte nicht das schnelle Denken, das man Genies oft zuschreibt. Charlie Munger sagte einmal, er glaube, wenn Darwin 1986 Harvard besucht hätte, hätte er wahrscheinlich einen eher mittelmäßigen Abschluss gemacht.

Der Biologe E.O. Wilson schätzte, dass Darwins IQ um die 130 gelegen, aber nicht ganz das Niveau (140), wo das Wort „Genie" anfängt, erreicht hätte. Er war offensichtlich sehr intelligent, aber der Punkt ist, dass er eine andere Fähigkeit besaß, die ihn zu seinen Errungenschaften führte.

Darwin war *unermüdlich* am Lernen.

Er verschlang Informationen über alle Themen, an denen er interessiert war. Er hortete Fakten und war hyper-fleißig beim Notieren. Seine Fähigkeit, die Aufmerksamkeit aufrechtzuerhalten, war legendär, und seine Arbeitsmoral war unermüdlich. Darwins Denken war absichtlich langsam, weil er so akribisch detailorientiert war. Er glaubte, dass man, um eine Autorität zu einem Thema zu haben, ein tiefes Fachwissen darüber entwickeln muss, und Fachwissen entsteht nicht über Nacht (oder in einem Monat oder in einem Jahr).

Und hier ist er so weit abgewichen, dass wir ihn als mentales Modell verwenden wollen: Darwins Methode war so allumfassend, dass er sogar Informationen, die seinen eigenen Theorien widersprachen oder sie in Frage stellten, große Aufmerksamkeit schenkte. Dieser Ansatz bildet das Rückgrat seiner *goldenen Regel*, wie er sie in seiner Autobiographie formulierte, und des mentalen Modells, das wir ihm zuschreiben. Die grundlegende Leitlinie von Darwins goldener Regel war es, mehr als nur offen für widersprüchliche oder entgegengesetzte Ideen zu sein - im Gegenteil, Darwin schenkte ihnen seine volle Aufmerksamkeit:

> Ich hatte auch während vieler Jahre eine goldene Regel befolgt, nämlich, dass, wann immer eine veröffentlichte Tatsache, eine neue Beobachtung oder ein Gedanke auf mich zukam, der meinen allgemeinen Ergebnissen

entgegengesetzt war, ich mir unbedingt und sofort ein Memorandum davon machen sollte; denn ich hatte durch Erfahrung herausgefunden, dass solche Tatsachen und Gedanken viel eher dem Gedächtnis entgehen als günstige.

Darwin vertiefte sich vollständig in Beweise oder Erklärungen, die seinen Erkenntnissen zuwiderliefen, weil er sich bewusst war, dass der menschliche Geist dazu neigt, diese gegenteiligen Ansichten zu verwerfen. Wenn er sie nicht so vollständig wie möglich untersuchte, würde er sie wahrscheinlich vergessen, und das erzeugte geistige Unehrlichkeit. Darwin wusste, dass sein eigenes instinktives Denken bei der Wahrheitsfindung ebenso hinderlich wie hilfreich sein konnte, und er etablierte einen Weg, um sicherzustellen, dass ihm keine Informationen entgingen.

Darwin ging mit all diesen widersprüchlichen Informationen verantwortungsvoll um.

Er zog ernsthaft Material in Betracht, das seine Behauptungen hätte widerlegen können, und bemühte sich, jedes einzelne Szenario, jede Anomalie und jede Ausnahme von seinen Theorien vollständig aufzunehmen. Er filterte keine Informationen heraus, die seine Überzeugungen nicht unterstützten; er war völlig immun gegen Bestätigungsfehler. Mehr als alles andere wollte Darwin bei der Wahrheitsfindung nicht nachlässig sein - er wusste, dass eine halbherzige Behauptung, die nur dazu diente, andere zu überzeugen, ohne viel nachzudenken, intellektuell unredlich war. Das zu tun, erforderte mehr Zeit und Mühe von ihm, aber dazu war er bereit.

Natürlich besinnt sich die Darwinsche Goldene Regel zurück auf die intellektuelle Ehrlichkeit und der Maxime „starke Meinungen, aber leicht gehalten." Sie setzt intellektuelle *Bescheidenheit* voraus: ungebunden an irgendwelche Standpunkte oder Theorien zu sein und einfach den Beweisen zu folgen.

Einzigartig ist, dass Darwin einen Dialog der Skepsis auf sich selbst zurückwirft, anstatt andere in die Defensive zu drängen. Er hinterfragte sich selbst leidenschaftslos in einer Weise, mit der wir normalerweise nur andere hinterfragen. Er richtete Fragen nach innen, wie zum Beispiel: *„Was weißt du? Bist du dir sicher? Warum bist du dir sicher? Wie kann es bewiesen werden? Welche möglichen Fehler könntest du gemacht haben? Woher kommt diese widersprüchliche Ansicht und warum?* Wie Sie sich vorstellen können, erfordert es eine Menge Selbstdisziplin, sich ständig selbst zu überprüfen.

Darwin hat genau erkannt, dass man meist falsch liegt, wenn man glaubt, dass alle *anderen* falsch liegen. Leider ist die einfachste Erklärung, dass *Sie* derjenige sind, der sich irrt.

Darwin wusste, dass er die Argumente *gegen* seine eigenen Theorien gründlicher nachvollziehen musste als jemand, der diese Argumente vorbrachte. Er wäre wahrscheinlich ein sehr schlechter Verkäufer gewesen. Dieses mentale Modell ist sicherlich nicht, wie die meisten Menschen denken, und das ist das Schöne daran.

Als Erweiterung von Darwins goldener Regel und um beide Seiten eines Themas zu würdigen, müssen Sie bereit sein, den *Beweisen* blind zu *folgen*. Wohin sie auch weisen, dorthin gehen Sie. Es ist wahrscheinlich, dass Sie vorher ein Narrativ im Kopf haben, aber das ist etwas, das Sie komplett beiseitelegen müssen.

Sie könnten echte Beweise finden, die Ihren Standpunkt untermauern - großartig. Aber Sie werden auch Beweise finden, denen Sie nicht unbedingt ins Auge sehen wollen. Es sind Beweise von Art, die stichhaltige und vernünftige Argumente gegen Ihre Position bietet. Selbst Menschen, die sich der furchtlosen Suche nach der Wahrheit verschrieben haben, könnten sich an dieser Art von Beweisen stoßen und versuchen, sie zu vermeiden oder zu ignorieren.

Was würde Darwin sagen? Das ist genau die Art von Beweisen, denen Sie bis zum Äußersten folgen sollten. Es ist eigentlich eine einfache Aufgabe - wenn Sie dem psychologischen Unbehagen widerstehen können, das sie verursacht.

Behandeln Sie alle Beweise, die Sie erhalten, nach den gleichen Standards der Zuverlässigkeit. Alle müssen den gleichen Schnuppertest bestehen. Sie müssen bei allen Beweisen umsichtig sein, und das bedeutet, dass Sie eher zu *qualitativ hochwertigen* Informationen tendieren als zu großen *Mengen* an Informationen.

Insgesamt geht es bei Darwins Denkmodell vor allem um eines: um Wahrheit. Von allen Modellen in diesem Buch ist dies vielleicht das am meisten vernachlässigte und missverstandene von allen.

MM #12: Denken mit System 2

Verwenden Sie dieses Modell, um analytisch statt emotional zu denken.

Das letzte mentale Modell zum Thema „klar denken und sich nicht täuschen lassen" hat damit zu tun, wie unser Gehirn funktioniert - nämlich nicht so, wie wir es normalerweise gerne hätten.

Das Gehirn ist ein Wunderwerk der Biologie. Doch genau wie der Rest von uns zieht es es vor, seine Energie zu sparen und den Weg des geringsten Widerstands zu gehen, wann immer es möglich ist. Dazu fährt das Gehirn einige seiner Prozesse herunter und überspringt andere geradezu, um Energie zu sparen. Das bedeutet, dass es immer nach Abkürzungen sucht, damit wir nicht alles bis ins Letzte durchdenken müssen. In der Realität spart das Gehirn also an allen Ecken und Enden, und das führt dazu, dass wir täglich Fehler machen.

Im Laufe der Jahre hat dies zu zwei biologischen Denksystemen geführt - eines, das sich auf Geschwindigkeit und Energieerhaltung konzentriert, und das andere, das sich auf Genauigkeit und Analyse konzentriert. Das ist etwas, worauf wir achten müssen, besonders wenn wir mit neuen Informationen oder Konzepten konfrontiert werden. Das Gehirn würde lieber Energie für gefährliche Situationen sparen, aber es ist sich kaum darüber im Klaren, dass es diese durch fehlerhaftes Denken tatsächlich verursachen kann.

Dieses Konzept wurde von Professor Daniel Kahneman in seinem bahnbrechenden Buch *„Schnelles Denken, langsames Denken"* populär gemacht. Durch eine Reihe von Experimenten entwickelte Kahneman ein Modell, das die einzelnen Prozesse erklärt, mit denen das Gehirn verschiedene Informationen aufnimmt und auf sie reagiert.

System 1 ist „schnelles" Denken. Dieser Modus ist automatisch und instinktiv. Es ist das, was wir verwenden, wenn wir auf eine Situation stoßen, mit der wir vertraut sind und in der wir nicht viel verarbeiten müssen, wie das Erkennen eines Freundes, Fahrradfahren oder einstellige mathematische Berechnungen. Da es intuitiv ist, wird das System-1-Denken auch mit emotionalen Reaktionen in Verbindung gebracht, wie Weinen oder Lachen beim Anblick eines alten Fotos. Der Kampf-oder-Flucht-Instinkt passt genau in das System-1-Denken.

Das wichtigste Attribut des System-1-Denkens ist die Mühelosigkeit. Es erfordert keine Analyse oder Überlegungen, sondern nutzt ein Gerüst von Assoziationen, die wir schon häufig erlebt haben. System 1 ist eine Reihe von mentalen Abkürzungen - sogenannte *Heuristiken* -, die uns helfen, Situationen sehr schnell zu entschlüsseln (dazu gleich mehr). Und weil beim System-1-Denken wenig Zeit und Mühe aufgewendet wird, verbraucht es weniger Energie und ist nicht furchtbar anstrengend. Sie brauchen keine Liste von Vor- und Nachteilen, um mit System 1 Entscheidungen zu treffen. Obwohl System 1 flinker ist, zielt es darauf ab, das *Schnelle* zu tun und nicht das *Richtige*.

Vielleicht haben Sie den Begriff *kognitive Verzerrungen* schon einmal gehört - sie resultieren genau daraus, dass System 1 die Kontrolle übernimmt.

System 2 hingegen ist das „langsame" Denken. Dies ist das mentale Modell, das wir mehr zu nutzen versuchen, da es viel kontemplativer und analytischer ist. Es wird für jede Situation verwendet, die mehr geistige Arbeit und Anstrengung erfordert. System 2 wird für die Entscheidungsfindung bei Ereignissen

verwendet, die hohe Konsequenzen nach
sich ziehen können, wie z. B. die Wahl einer
Hochschule, der Kauf eines neuen Autos
oder die Kündigung Ihres Jobs.

Sie verwenden System 2 auch, wenn Sie
etwas tun, das mehr Konzentration oder
Anstrengung erfordert, z. B. wenn Sie durch
eine neblige Nacht fahren, wenn Sie sich
bemühen, in einem lauten Raum jemanden
zu verstehen, wenn Sie sich an ein Gespräch
erinnern wollen, das Sie vor ein paar
Wochen geführt haben, oder wenn Sie ein
komplexes Schulfach lernen, das neu für Sie
ist.

Wo das Denken von System 1 fließend und
instinktiv ist, ist das Denken von System 2
das Gegenteil: Es ist überlegt, bewusst und
methodisch. Das Denken von System 1 ist
der sprichwörtliche Fallschirmspringer,
während das Denken von System 2 der
sprichwörtliche vorsichtige Anwalt ist.
System 2 braucht Zeit und Mühe, um neue
Informationen zu verarbeiten - und
verbraucht daher mehr Gehirn-Energie und
kann ermüdend oder auslaugend sein. Das
unruhige und erschöpfte Gefühl, das Sie

vielleicht beim Lernen oder Lesen eines Buches bekommen, liegt nicht daran, dass Sie es nicht verstehen oder sich langweilen; es ist ein tatsächlicher biologischer Imperativ.

Wir verbrauchen Ihre System-2-Energie, und deshalb schalten wir immer auf System 1 um. Das ist schade, denn es macht uns anfällig dafür, Dinge auf den ersten Blick zu akzeptieren, nicht skeptisch und leichtgläubiger zu sein und insgesamt in fehlerhaften Bahnen zu denken. Es macht uns auch impulsiv und unüberlegt, ohne die Konsequenzen oder Auswirkungen zu bedenken. Insgesamt werden wir urtümlicher und *dümmer*.

Für Dinge, denen Sie regelmäßig begegnen oder mit denen Sie sehr vertraut sind, ist es großartig - hier glänzt das System-1-Denken. Wenn Sie eine Fülle von Erfahrungen damit haben, kann es Ihnen tatsächlich helfen, eine gute Entscheidung zu treffen. Es ist auch offensichtlich nützlich, wenn gefährliche oder furchteinflößende Dinge passieren, da das System-1-Denken Sie handeln lässt, wo

Analyse und sorgfältige Überlegung Sie im Stich lassen würden.

Es gibt eine Zeit und einen Ort für beide Denkweisen, System 1 und 2, aber in Abwesenheit von gefährlichen Situationen, in denen es um Leben und Tod geht, ist System 2 für klares Denken vorzuziehen.

Wir können es nicht die ganze Zeit benutzen, weil es unpraktisch und zu zeitaufwendig wäre. Insbesondere ist es schlichtweg anstrengend, vor allem, wenn man sich ständig dazu zwingen muss. Tatsächlich sollte dies vielleicht das erste mentale Modell sein, das Sie aufrufen sollten, wenn Sie merken, dass Sie unvoreingenommen bleiben und klar denken müssen. Wenn Sie in System 1 feststecken, schränkt das so ziemlich jeden tieferen Gedankengang ein, den Sie haben könnten.

Fazit:

• Klar zu sehen und zu denken ist nichts, was wir instinktiv tun. Beim Menschen geht es um Überleben, Vergnügen, Schmerzvermeidung, Essen, Sex und

Schlaf. Alles andere, was wir als höheres Ziel betrachten würden, kommt eher an zweiter Stelle, zumindest in unserem Gehirn. Daher sind mentale Modelle, die sicherstellen, dass wir klar denken, von größter Bedeutung. Die Welt sieht auf den zweiten Blick meist anders aus.

- Mentales Modell Nr. 7: „Schwarze Schwäne" ignorieren. Dies ist das erste mentale Modell, das speziell vor unserer Tendenz warnt, auf der Grundlage unvollkommener, verzerrter oder unvollständiger Informationen voreilige Schlüsse zu ziehen. Ein „Schwarzer-Schwan-Ereignis" ist ein völlig unvorhersehbares Ereignis, das aus dem Nichts kommt. Dadurch verzerrt es alle Daten und Überzeugungen, und die Menschen beginnen, den schwarzen Schwan als neue Normalität zu betrachten. Aber das sind nur Ausreißer, die ignoriert werden sollten.

- Mentales Modell Nr. 8: Suchen Sie nach Gleichgewichtspunkten. Bei diesem mentalen Modell geht es darum, Trends im Fortschritt zu bemerken. Wenn Sie mit etwas beginnen, gehen Sie von Null auf Eins - das ist eine unendliche Fortschrittsrate. Dann gehen Sie von eins auf zwei, von zwei auf drei und so weiter, und die Fortschrittsrate verlangsamt sich, und die Erträge beginnen zu sinken. Irgendwo dort kommt ein Gleichgewichtspunkt, der wirklich den durchschnittlichen Mittelwert repräsentiert. Machen Sie nicht den Fehler, nicht darauf zu warten.

- Mentales Modell Nr. 9: Warten Sie auf die Regression zum Mittelwert. Dies ist das letzte mentale Modell, bei dem es darum geht, das Gesamtbild in Bezug auf Informationen zu sehen. Eine Veränderung ohne einen *Grund* für die Veränderung ist nicht wirklich eine Veränderung; es ist nur eine Abweichung. Sie repräsentiert nicht, was in der Zukunft weiterhin passieren wird. Eine Regression zum Mittelwert ist, wenn sich die Dinge wieder einpendeln und das fortsetzen, was sie vorher getan haben - dies ist repräsentativ für die Realität.

- Mentales Modell Nr. 10: Was würde Bayes tun? Lustigerweise ging es in den vorherigen drei mentalen Modellen um unsere fehlerhaften Versuche, Schlussfolgerungen zu ziehen und die Zukunft vorherzusagen. Das Bayes'sche Theorem ist etwas, das uns tatsächlich erlaubt, Rückschlüsse auf die Zukunft zu ziehen: basierend auf Wahrscheinlichkeiten und unter Berücksichtigung von Ereignissen, die bereits eingetreten sind. Alles, was Sie brauchen, sind die groben Wahrscheinlichkeiten von drei Elementen, die Sie in die Bayes-Formel einsetzen, und Sie werden zu einer genaueren Schlussfolgerung kommen als sogenannte Experten. Das ist grundlegendes probabilistisches Denken.

- Mentales Modell #11: Mach es wie Darwin. Darwin war offensichtlich kein Genie, aber er hatte einen Charakterzug, der ihn von anderen unterschied: seine unermüdliche Hingabe an die Wahrheit. Dabei entwickelte er seine goldene Regel (und unser mentales Modell), nämlich Argumenten und Meinungen, die seinen eigenen widersprachen, trotzdem das gleiche Gewicht und die gleiche Aufmerksamkeit zu schenken. Anstatt defensiv zu werden, wenn ihm etwas präsentiert wurde, das ihm widersprach, wurde er kritisch und skeptisch gegenüber sich selbst. Diese radikale Aufgeschlossenheit schiebt Bestätigungsvoreingenommenheit und Ego beiseite.

- Mentales Modell Nr. 12: Mit System 2 denken. Nach Daniel Kahneman hat jeder von uns zwei Systeme des Denkens: System 1 und System 2. System 1 konzentriert sich auf Geschwindigkeit und Effizienz des Denkens, während sich System 2 auf Genauigkeit und Tiefe des Denkens konzentriert. System 2 ist klug, während System 1 dumm ist. System 1 schadet mehr als es nützt, aber leider ist es dasjenige, dem wir standardmäßig folgen, weil es einfacher ist. Machen Sie sich den Unterschied zwischen den

131

beiden bewusst; erkennen Sie System 1 an und versuchen Sie dann, sofort zu System 2 überzugehen.

Kapitel 3. Augenöffnende Problemlösung

Jeder hat Probleme.

Probleme sind Unterbrechungen des eigenen Lebens - Hindernisse. Manchmal sind sie winzig und verschwinden in einer Sekunde, und ein anderes Mal kommen wir mit ihnen nicht zurecht und sie zwingen uns, unser ganzes Leben neu zu bewerten. Egal wie groß sie sind, auf die eine oder andere Weise werden wir mit ihnen fertig. Wir sind in unserem Leben so weit gekommen, und das geschieht nicht dadurch, dass wir allen Herausforderungen aus dem Weg gehen. Im Laufe der Zeit haben wir Lösungen durch brachiale Gewalt und unermüdliche Versuche oder sogar durch glückliches Raten gefunden.

Es gibt wahrscheinlich eine bessere Methode. Es gibt viele Möglichkeiten, einen Fisch zu braten, und manchmal gelingt dies gut, während der Fisch ein anderes Mal kaum genießbar ist. Es stellt sich heraus, dass es wahrscheinlich einige effektive, erprobte und richtige Methoden zur allgemeinen Problemlösung gibt, und es würde Ihnen gut tun, diese zu verstehen.

In diesem Kapitel werden einige mentale Modelle vorgestellt, die darauf ausgerichtet sind, Probleme zu lösen und Lösungen für alles, was noch vor Ihnen liegt, zu finden. Sie bieten genaue Denkschritte, die Ihnen dabei helfen, sich zu konzentrieren und dem problematischen Chaos einen Sinn zu geben. Um Probleme effektiv zu lösen, muss man ein bisschen innovativ sein und nach neuen Wegen suchen, um sie anzugehen. Die gleichen Werkzeuge und Denkmuster funktionieren nicht für alles, und mentale Modelle erweisen sich als besonders gut geeignet, um Probleme zu lösen, weil sie Richtlinien dafür liefern, wie man nach Lösungen sucht.

Sie sind methodisch und systematisch auf eine Art und Weise, die wir entweder zu mühsam finden oder nicht ganz ordnen können. Angenommen, Sie haben ein Puzzle mit 500 Teilen, aber alle Teile haben genau die gleiche Farbe. Sie können dieses Puzzle vielleicht irgendwann fertigstellen, aber es wird ein Kampf sein, weil Sie keine Struktur haben, nach der Sie vorgehen können. Die meisten Menschen würden mit dem Rand, dem Himmel oder einem anderen erkennbaren Meilenstein beginnen. Diese mentalen Modelle sind wie eine Vorlage dafür, wie das Puzzle zusammenpasst.

Sicher, die meisten Probleme lassen sich lösen, indem man den Kopf so oft gegen die Wand rammt, dass sich Risse bilden, aber wir können es besser machen.

Eines der Hauptthemen, mit dem wir uns zunächst auseinandersetzen müssen, ist die Frage nach unserer begrenzten Perspektive. Wir verbringen 24 Stunden am Tag in unserem eigenen Kopf. Ab und zu machen wir eine Pause, um andere Informationen aufzunehmen, aber im Allgemeinen sind unsere eigenen Meinungen die, mit denen wir am meisten umgehen. Wahrscheinlich interagieren wir auch hauptsächlich mit Menschen, die unsere Meinung teilen, und so befinden wir uns in einer Art Echokammer. Dies alles führt dazu, dass wir unsere Meinung für richtig, korrekt und wichtig halten. Sie können wahrscheinlich sehen, dass sich die Probleme bereits zu formen beginnen.

Es ist wichtig, ein gewisses Maß an Vertrauen und Zuversicht in Ihre innere Stimme zu haben, aber sie ist nicht die einzige gültige Perspektive, die existiert, und manchmal ist sie vielleicht nicht einmal richtig. Bei den ersten paar mentalen Modellen geht es darum, aus dem eigenen Kopf herauszutreten und eine Situation und damit ein Problem so klar wie möglich zu sehen. Vielleicht erkennen Sie, dass eine Lösung die ganze Zeit vor Ihnen lag, die aber von Ihrer Perspektive versperrt oder abgelehnt wurde.

Außerhalb des Problemlösens ist es einfach ein gutes mentales Modell für das Leben, weil es ein gewisses Maß an Empathie für andere erzwingt. Wenn Sie sich in die

Perspektive anderer Menschen hineinversetzen können, werden Sie ermutigt, zu fragen, wie es dazu gekommen ist, wie es für sie sinnvoll ist und warum alles zusammenpasst. Die meisten Menschen handeln nicht aus Bosheit, noch wollen sie sich Ihnen entgegenstellen, nur um Sie zu ärgern. Ebenso hat jeder das Gefühl, der Held in seiner eigenen Geschichte zu sein (auch Sie), daher kann es aufschlussreich sein, zu verstehen, wie *Sie* als der Bösewicht in einer Geschichte erscheinen können. Dies ist eine weitere Angewohnheit, die wir uns nicht ausreichend angeeignet haben.

Deshalb ist es wichtig, sich mit Standpunkten auseinanderzusetzen, die nicht unbedingt mit den eigenen übereinstimmen.

Egal, wie fest jemand an etwas glaubt, etwas spürt oder wie viel er weiß, es gibt wirklich keine Möglichkeit für ihn, zu überprüfen, ob sein Standpunkt der einzig richtige ist. Selbst die angesehensten und vertrauenswürdigsten Führer der Welt haben Berater, die als Resonanzboden für ihre Ideen dienen. Sie erkennen, dass ihre Erfahrung nur ein Teil der größeren Situation ist; ohne zu wissen, wie andere Parteien fühlen, sind sie nur in der Lage, einen kleinen Teil des Problems zu sehen (wenn überhaupt).

Wenn es um unsere eigenen, weniger weltbewegenden Themen geht, ist es immer noch genauso wichtig, andere Standpunkte zu verstehen - besonders diejenigen, die eine Herausforderung darstellen oder im Gegensatz zu unseren wertvollsten Gedanken stehen, egal wie schwierig es sein mag, sich damit zu beschäftigen. Die mentalen Modelle in diesem Abschnitt werden Ihnen helfen, die Art von Empfänglichkeit für andere Positionen zu entwickeln und aufrechtzuerhalten, die Sie brauchen, um effektive Entscheidungen zu treffen und Probleme zu lösen.

MM #13: Begutachten Sie Ihre Sichtweisen

Verwenden Sie dieses Modell, um die Konsensmeinung zu verstehen und um zu verstehen, warum Sie davon abweichen könnten.

Peer-Reviews werden in vielen Fachrichtungen durchgeführt. Am häufigsten werden sie mit wissenschaftlichen Publikationen in Verbindung gebracht, aber fast jedes Unterfangen - ob beruflich, wissenschaftlich oder anderweitig - hat irgendeine Form von Peer-Review als Teil seines Betriebs. Wie der Name schon sagt, ist ein Peer-Review eine Bewertung Ihrer Arbeit durch andere Personen aus Ihrem Fachgebiet. Andere gleichgesinnte Kollegen in Ihrem Studien- oder Fachgebiet überprüfen Ihre Arbeit und bieten Feedback und Vorschläge vor der Einreichung an. Oft geht das so weit, dass Leute bösartig versuchen, Ihre Arbeit zu zerpflücken und Fehler zu finden, wo sie nur können. Aber eigentlich kann es umso hilfreicher sein, je bösartiger es ist.

Das Ziel von Peer-Reviews ist es, vor Ungenauigkeiten oder Auslassungen in einer fertigen Arbeit zu schützen und alternative Standpunkte anzubieten, die helfen könnten, die Ergebnisse klarer, relevanter oder präziser zu machen. Die Reviewer bzw. Gutachter überprüfen Ihre Prämisse, Ihre Methodik, Ihre Analyse, Ihre Schlussfolgerung und alles, was diese Dinge miteinander verbindet. Diese wissenschaftliche und methodische Herangehensweise ist der beste Weg, um Ihre Perspektiven auf den Prüfstand zu stellen und sie kugelsicher zu machen - oder zumindest informiert.

Die besten Peer-Reviews lassen nichts unversucht und stellen sicher, dass der Urheber eine Arbeit präsentiert, die so genau wie möglich geprüft wurde. Sie werden Ihre Schwächen und Stärken kennen und wissen, wo Sie generell stehen.

Auch wenn dies im Alltag nicht sehr praktikabel ist, kann der Zweck auf verschiedene Weise erfüllt werden. Wenn Sie eine Meinung oder Perspektive haben, ist das ein Datenpunkt. Was halten Sie von dem Versuch, drei weitere zu sammeln? Und wie wäre es dann mit dem Versuch, zwei zu sammeln, die Ihrer Meinung entgegenstehen und andere und neuartige Blickwinkel darstellen?

Sie können Informationen, Erkenntnisse und andere Standpunkte so umfassend wie möglich sammeln, um Ihre Gedanken oder Pläne zu bekräftigen oder zu verfeinern und Ihnen zu helfen, bessere Entscheidungen im Problemlösungsprozess zu treffen. Wenn Sie die übereinstimmende Meinung finden, können Sie dann einschätzen, ob Sie mit ihr übereinstimmen, oder feststellen, warum und wie Sie davon abweichen. Oftmals eröffnen sich dadurch neue Wege des Denkens und Erforschens.

Eine spezielle Anwendung dieses mentalen Modells wird *Triangulation* genannt. Sie basiert u. a. auf der militärischen Praxis, einen bestimmten Standort zu bestätigen, indem man von drei verschiedenen Ausgangspunkten aus Linien zieht, die ein „Dreieck" zu ihm bilden. Je mehr Datenpunkte zur Verfügung stehen, desto mehr Seiten gewinnt das Dreieck und desto kleiner wird das Gebiet. Es ist der Prozess, durch schrittweises Sammeln von Daten langsam einen korrekten *Bereich einzugrenzen.*

Ich schätze zum Beispiel, dass ein Unternehmen zehn Widgets pro Tag produziert, während ein Kollege glaubt, dass das gleiche Unternehmen nur vier Widgets pro Tag produziert. Ein Durchschnitt aus unseren Schätzungen wäre keine schlechte Idee. Dann könnte mein Vorgesetzter vermuten, dass die Firma sieben Widgets pro Tag produziert. Dann meldet sich ihr Vorgesetzter zu Wort und sagt, dass es sechs sind. Langsam nähern wir uns einem Bereich, der von allen Datenpunkten einigermaßen eingegrenzt wird.

Verfolgen Sie nun den gleichen Prozess, aber mit Ihren Meinungen, Standpunkten und Perspektiven.

Sie sind vielleicht der Meinung, dass Lemuren die wildesten Tiere der Welt sind (oder Sie können auch eine andere Meinung vertreten, auf die ich lieber nicht eingehen möchte). Ein Zoologe, den Sie kennen, mag behaupten, dass sie zwar wild sind, aber an dritter Stelle hinter Honigdachsen und in die Enge getriebenen Geparden stehen. Ein Zoowärter, den Sie kennen, könnte den

Lemur auf den fünften Platz verweisen, hinter Flusspferden, Bibern, Adlern, Geparden und Honigdachsen. Ein befreundeter Tierarzt platziert den Lemur vielleicht auf dem vierten Platz, hinter Geparden, Honigdachsen, Gänsen und Büffeln.

Was haben Sie aus dieser Übung gelernt? Nun, Sie wissen, dass Ihre anfängliche Meinung wahrscheinlich falsch ist, und Sie wissen auch, was der richtige Bereich der Antworten ist.

Offiziell erfordert die Triangulation von Informationen das Sammeln und Überprüfen von Informationen aus mindestens zwei verschiedenen Quellen. Optimalerweise sind es viel mehr. Während die „Peer-Review"-Form der Triangulation potenziell die beste ist, können Sie sie auch durch die Untersuchung von Daten oder Theorien aus anderen Quellen erhalten (mit anderen Worten: Forschung).

Wenn Sie Ihre Perspektiven und Ideen einer Peer Review und Triangulation unterziehen, erhöht das Ihre Legitimität und Authentizität. Es zeigt, dass Sie selbstbewusst genug sind, Ihre Lösungen einer Prüfung von außen auszusetzen, und dass Sie die Demut haben, sich andere Meinungen und konstruktive Kritik anzuhören. Und das verleiht den Entscheidungen, die Sie treffen, eine Menge Gewicht und Sicherheit: Es erhöht die Wahrscheinlichkeit, dass es sich um solide Entscheidungen handelt, die gut durchdacht und durch Versuche getestet wurden.

Dadurch bekommen Sie ein Gefühl dafür, was die eigentliche Lösung ist, und können, bezogen auf die Hauptaussage des Kapitels, Probleme viel einfacher und schneller lösen.

MM #14: Finden Sie Ihre eigenen Schwächen

Nutzen Sie die Möglichkeit, sich selbst zu überprüfen, bevor es andere tun.

Die gelehrten Meinungen anderer zu erfragen, kann erhellend sein, vor allem, wenn sie zufällig bestätigen, dass Ihre

Meinungen und Sichtweisen fehlgeleitet waren.

Wir können dies aber auch für uns selbst tun, indem wir uns auf das mentale Modell der Suche nach den eigenen Fehlern berufen. Behandeln Sie Ihre Perspektive oder Meinung als eine Hypothese, die getestet und verifiziert werden muss. Der Schlüssel dazu ist, nicht emotional an das Ergebnis gebunden zu sein, oder defensiv zu sein, um richtig zu liegen. Es geht rein um die Suche nach der ehrlichen Wahrheit.

Anstatt sich einer Perspektive oder Meinung zu nähern, indem Sie versuchen, sie zu beweisen, drehen Sie sie auf den Kopf und versuchen Sie, das Gegenteil zu beweisen (Hunde sind nicht toll; Hunde sind böse).

Anstatt ihre vermeintlichen Vorteile zu maximieren, minimieren Sie sie und maximieren die Mängel (Hunde mögen im Vergleich zu Katzen relativ loyal sein, aber sie sind pflegeintensiv und können extrem kostspielig und manchmal sogar aggressiv sein).

Anstatt sich einen reibungslosen Ablauf und ein Best-Case-Szenario vorzustellen, malen Sie sich ein apokalyptisches Worst-Case-Szenario aus (was ist, wenn ich mir einen aggressiven Hund zulege, den ich nicht richtig erziehen kann und der alles in meinem Haus kaputt macht?)

Fragen Sie sich Folgendes: Wenn Sie wollen, dass Ihre Perspektive oder Meinung scheitert, was ist der einfachste Weg, damit das passiert (wenn ich meinem Hund nicht genug Aufmerksamkeit oder Auslauf gebe, wird er durchdrehen und Dinge zerstören)?

Düster, ich weiß. Aber sonst verfällt man in den Fehler der Bestätigungsvoreingenommenheit. Bestätigungsvoreingenommenheit ist weit verbreitet; sie besteht darin, dass man nur Informationen oder Beweise verfolgt und anhört, die eine bestimmte Überzeugung unterstützen, die man für wahr hält. Das führt dazu, dass man Beweise, die diese Überzeugung widerlegen oder in Frage stellen, ignoriert, rationalisiert, verleugnet oder ihnen ganz aus dem Weg geht. Dies ist nicht unbedingt vom Ego getrieben, sondern eher von dem Wunsch, Recht zu haben.

Bestätigungsvoreingenommenheit ist die ultimative Haltung, das zu sehen, was man sehen will, und diese Wahrnehmung zu benutzen, um eine vorher gewählte Schlussfolgerung zu beweisen. Tatsächlich ist es so, dass man mit einer Schlussfolgerung im Kopf beginnt und rückwärts arbeitet, um sie zu seiner Realität zu machen, obwohl es Beweise gibt, die direkt das Gegenteil beweisen.

Das einfachste Beispiel ist, wenn Sie einen bestimmten Standpunkt vertreten wollen - zum Beispiel, dass Hunde treu sind. Sie geben also in Google ein: „Hunde sind sehr treu". Dies führt natürlich zu Ergebnissen über die Loyalität von Hunden, während Sie bei der Eingabe von (1) „Sind Hunde loyal?" (2) „Hunde sind treu" oder (3) „Hunde sind nicht treu" eingeben, erhalten Sie eine breitere Auswahl an Texten über Hunde und Treue. Diese besondere Haltung hat keine Konsequenzen, aber Bestätigungsvoreingenommenheit kann auch lebensbedrohlich werden.

Das Auffinden der eigenen Fehler geht in die entgegengesetzte (und richtige) Richtung, wenn man von den Prämissen ausgeht und dann wirklich nur die Schlüsse zieht, auf die die Beweise ehrlich hinzuweisen scheinen. Die meisten von uns haben veritable körperliche Schmerzen, wenn wir daran denken, unsere Fehler zuzugeben, besonders vor anderen. Aber das ist das Ego, das da spricht, und das Ego hat null Interesse daran, Probleme zu lösen und klar zu denken. Das Ego wird immer tröstliche, aber schädliche Motive haben.

Das mentale Modell, eigene Fehler zu finden, gilt in einem weiteren wichtigen Kontext: in Beziehungen. Dies gilt insbesondere dann, wenn Sie einen Konflikt mit jemand anderem haben. Also noch einmal: Was wäre, wenn Sie einen Gang zurückschalten und proaktiv versuchen würden, Ihre eigenen Fehler in Ihren Argumenten und Standpunkten zu finden, anstatt sie bis aufs Blut zu verteidigen?

Wenn Sie stattdessen versuchen, Ihre eigenen Fehler in Argumenten zu finden, versuchen Sie, das zu finden, was *dritte*

Geschichte genannt wird. Die dritte Geschichte ist das, was ein objektiver Außenstehender über den Konflikt sagen würde. Sie wäre rücksichtslos objektiv und distanziert. Sie würden wahrscheinlich nicht erfreut sein, sie zu hören, und Sie würden definitiv nicht als schuldlos oder frei von Fehlern dastehen.

Das ist an sich schon eine wichtige Erkenntnis. Oft können wir uns so sehr in intensive Emotionen verstricken, dass wir unser Ziel aus den Augen verlieren und uns einfach nur verteidigen. Es fällt einigen Menschen leichter als anderen, aber zuzugeben, dass man sich irren *könnte,* öffnet viel mehr Türen zum Verständnis als sich zu verschanzen. Anzuerkennen, dass Ihr Standpunkt unvollkommen sein könnte, ist in der Tat meist der erste Teil der Lösung eines Problems. Es ist ein Zeichen von Stärke und Selbstvertrauen, während die hartnäckige Weigerung, sich eine andere Sichtweise anzuhören, eher als Zeichen von Unsicherheit oder Schwäche gilt.

In diesem Sinne ist es gut, mit Ihrer Perspektive so umzugehen, als ob zumindest *etwas* an ihr nicht stimmt - sagen wir, ab 1%. Es gibt fast kein zwischenmenschliches Problem, bei dem die Antwort völlig schwarz oder weiß ist; Sie sind nicht unfehlbar. Mit welchem 1% liegen Sie also wahrscheinlich falsch, auch wenn Sie es nicht zugeben wollen?

Wenn Sie sich voll und ganz auf 1% Fehler/Schwäche einlassen können, dann öffnet es Sie sofort für die anderen Dinge, die Sie vielleicht übersehen haben. Diese dritte Perspektive zu bekommen, ist eine großartige Brücke zum Verständnis der Gesamtheit eines Problems - denn wenn die dritte Geschichte drastisch von Ihrer Geschichte und der Ihres Gegners abweicht, dann denken Sie wahrscheinlich nicht einmal über das gleiche Problem nach, das Sie lösen wollen.

MM 15: Trennen Sie die Korrelation von der Kausalität

Verwenden Sie dieses Modell, um zu verstehen, was wirklich zur Lösung eines Problems getan werden muss.

Wenn wir verstehen wollen, warum bestimmte Dinge geschehen, müssen wir nach auslösenden Faktoren suchen. Es ist nur logisch, dass wir versuchen, ein früheres Ereignis zu finden, das direkt für die *Verursachung* dessen, was wir betrachten, verantwortlich ist. Darauf sollten wir unsere Zeit verwenden, aber es kann sich herausstellen, dass wir unsere ganze Zeit mit dem falschen Thema verbringen. Wir werden dazu verleitet, Korrelation mit Kausalität zu verwechseln. Es folgt eines der leuchtenden Beispiele für dieses mentale Modell.

Angenommen, Sie betrachten ein Diagramm, das zwei Datenvergleiche zeigt - eine Achse zeigt die Gesamtzahl der verkauften Sonnenbrillen über einen bestimmten Zeitraum, die andere die Gesamtverkäufe von Eiscreme. Sie stellen fest, dass während der Sommermonate die Verkäufe beider Artikel ansteigen und nach dem Ende des Sommers tendenziell zurückgehen.

Wenn man sich diese Grafik ansieht, könnte man zu dem Schluss kommen, dass der Verkauf von Eiscreme den Verkauf von Sonnenbrillen direkt beeinflusst. Die Leute kaufen mehr Sonnenbrillen, weil sie mehr Eiscreme kaufen - oder andersherum. Egal in welche Richtung, es scheint, dass das eine das andere verursacht.

Warum könnte dies der Fall sein? Liegt es daran, dass es Geschäfte gibt, die *sowohl* Eiscreme *als auch* Sonnenbrillen verkaufen? Gibt es etwas am Kauf eines Eisbechers oder eines Banana Splits, das einen dazu veranlasst, gleich danach zu einer Ray-Bans zu greifen? Drückt die Sonnenbrille auf einen Gesichtsnerv, der Lust auf Eiscreme auslöst?

Diese Theorien klingen lächerlich, nicht wahr? Das ist so, weil sie es sind.

Als Sie das Beispiel zum ersten Mal gelesen haben, wussten Sie wahrscheinlich, dass der Verkauf von Eiscreme und Sonnenbrillen durch die Ankunft des

Sommers gestiegen ist. Da es im Sommer mehr heiße und sonnige Tage gibt, sind die Menschen eher geneigt, kalte Leckereien wie Eiscreme und schützende Brillen wie Sonnenbrillen zu kaufen. Die Leute kaufen Sonnenbrillen nicht als direkte Folge von Eiscremekäufen - sie kaufen beides, wenn die Sommerhitze sie trifft. Nur weil zwei Dinge gleichzeitig auftreten, bedeutet das nicht, dass es eine Beziehung *zwischen ihnen* gibt.

Auch wenn das ein ziemlich weit hergeholtes Beispiel ist, so spiegelt es doch einen logischen Fehler wider, den viele Menschen machen - manchmal bei Dingen, die elementarer und grundlegender sind als Eiscreme und Sonnenbrillen. Dieser Fehler besteht darin, zu glauben, dass, da zwei Ereignisse ähnliche Muster oder verwandte Verhaltensweisen aufweisen, das eine das andere verursachen muss. Der Fehler ist, zu glauben, dass *Korrelation Kausalität impliziert*. Tatsächlich handelt es sich um völlig unterschiedliche Konzepte.

Korrelation ist ein statistischer Begriff. Er zeigt, dass zwei einzelne Elemente oder

Variablen ähnliche Eigenschaften oder Trends aufweisen - „die Verkaufszahlen von Eiscreme und Sonnenbrillen sind beide *gestiegen.*" Das ist alles, was die Korrelation ausmacht: Zwei Dinge verhalten sich ähnlich. Die Korrelation beschreibt *nicht,* warum oder wie die Beziehung zwischen zwei Dingen so ist; sie gibt keinen Grund an. Sie sagt nur: „Diese beiden Dinge tun im Allgemeinen das Gleiche zur gleichen Zeit."

Die *Kausalität hingegen* ist das Bemühen, den Grund dafür zu ermitteln, warum Dinge geschehen - auch als „Ursache und Wirkung" bezeichnet. Die Botschaft der Kausalität lautet: „Diese Sache hat sich verändert, was wiederum *dazu geführt hat, dass* sich diese andere Sache auch verändert hat." In unserem supereinfachen Beispiel war die Sache, die tatsächlich den Anstieg der Sonnenbrilleneinnahmen verursachte, die Ankunft des Sommers, der gleichzeitig für den Anstieg der Eisverkäufe verantwortlich war. Es gab eine kausale Beziehung zwischen Sommer und Sonnenbrille und Sommer und Eiscreme, aber es gab nur eine korrelative Beziehung zwischen Sonnenbrille und Eiscreme.

Zu glauben, dass der Anstieg der Eiscremeverkäufe den Anstieg der Sonnenbrillenverkäufe *verursacht* hat, ist ein logischer Fehler. Dem wird mit dem Satz *„Korrelation impliziert keine Kausalität"* begegnet - *nur* weil zwei Ereignisse ähnlich sind, bedeutet das nicht, dass das eine das andere verursacht. Es kann einen anderen zugrundeliegenden Faktor geben, der *beide* Ereignisse verursacht.

Dieser Denkfehler tritt meist dann auf, wenn uns ein Mangel an Informationen zur Verfügung steht - oder, was vielleicht noch häufiger der Fall ist, wenn wir uns nicht die Zeit nehmen, alle Informationen zu beachten, die wir beachten sollten. Die Versuchung, voreilige Schlüsse zu ziehen, ist immer dann groß, wenn wir uns unter Druck gesetzt fühlen, eine endgültige Antwort geben zu müssen. Um diesen Trugschluss zu vermeiden, sollte man so viele potenzielle Faktoren wie möglich identifizieren: recherchieren, Trends studieren, mehr Daten sammeln und vernünftige, nicht überstürzte Urteile fällen.

In vielen Fällen sind Korrelationen nichts weiter als Zufälle, und doch springen wir schnell auf kausale Gedanken. Bei der Bewertung von Ursache und Wirkung sollte das mentale Standardmodell immer darin bestehen, Korrelation von Kausalität zu trennen und keine kausale Beziehung anzunehmen, es sei denn, dies ist definitiv bestätigt.

Es gibt noch ein weiteres Problem, wenn es um die Diskussion von Ursache und Wirkung geht. Die Sache ist ein bisschen komplexer, als man uns als Kinder glauben machen will, wenn man uns beibringt, dass sich ein Spielzeugauto bewegt, wenn man es anschubst.

Wenn wir mehr Lebenserfahrung sammeln, werden die kausalen Faktoren etwas komplexer. Es gibt mehr Bedingungen, zugrunde liegende Motive und Elemente, die Ereignisse beeinflussen. Manchmal ist es schwer, auf eine einzelne Ursache hinzuweisen, weil es schwer zu sagen ist, ob nur sie allein den Ausschlag gegeben hat oder nicht das Produkt mehrerer Mini-Ursachen war.

Dieser Prozess beinhaltet, dass man über den unmittelbaren Grund, warum Dinge geschehen (die *unmittelbare* Ursache), hinausschaut und nach einer bestimmten größeren, grundlegenderen Basis dafür sucht, dass Dinge geschehen (die Grundursache). Die unmittelbare Ursache verhält sich zur Grundursache wie die Korrelation zur reinen Kausalität. Die Suche nach der ersten Ursache (unmittelbare Ursache; Korrelation) wird Sie nicht von Ihren Problemen befreien.

Sagen wir zum Beispiel, jemandem wird der Führerschein entzogen. Nennen wir ihn Hal. Das Verkehrsgericht hat darauf gewartet, dass Hal wegen einer Reihe von Geschwindigkeitsübertretungen erscheint, aber er hat sich nie daran gehalten. Es wird ein Haftbefehl gegen Hal ausgestellt; die Polizei geht zu ihm nach Hause, bricht die Tür auf und wirft ihn für ein langes Wochenende ins Gefängnis.

An diesem Punkt können wir die Frage stellen, warum ist Hal im Gefängnis? Nun, er ist dort, weil die Polizei aufgrund eines Haftbefehls handelte, der besagte, dass er sich für mehrere Geschwindigkeitsübertretungen verantworten muss. Das ist die *unmittelbare* Ursache: die jüngsten, grundlegenden Handlungen, die dazu führten, dass Hal ins Gefängnis geworfen wurde.

Aber die unmittelbare Ursache erklärt nicht die tieferen Probleme, die dazu geführt haben, dass Hal im Gefängnis ist. Man könnte sagen, dass der Haftbefehl ausgestellt wurde, weil Hal einen Bleifuß hat, der schwer auf dem Gaspedal liegt. Sie könnten also Hals Bedürfnis nach Geschwindigkeit als die Grundursache betrachten.

Aber ist es das?

Man kann immer tiefer einsteigen, um herauszufinden, *warum* Hal so ist, und Sie könnten mit jeder neuen Stufe eine *weitere Ursache* in Betracht ziehen. Wenn er sein Verhalten ändern soll, ist es vielleicht nicht effektiv, ihm einfach zu sagen, dass er aufhören soll, so viel zu rasen. Was veranlasst ihn, zu schnell zu fahren?

Vielleicht haben ihm seine Eltern nie beigebracht, sich in bestimmten Situationen zurückzuhalten; sie ließen ihn einfach im Haus herumflitzen und alles durcheinander bringen, und diese Rücksichtslosigkeit haftete ihm an ihm bis ins Erwachsenenalter. An diesem Punkt hat Hal eine *tiefere* Ursache - manche haben diese Ebene das Erreichen der *ultimativen* Ursache genannt. Wenn Hal sich nicht mit der emotionalen Basis für seine Geschwindigkeitsübertretung auseinandersetzt, ist die Wahrscheinlichkeit groß, dass er wieder straffällig wird. Wenn er sie verdrängt und einfach „dem Mann" die Schuld gibt, hat er nichts gelernt.

Dies ist der Teil des mentalen Modells, der sich auf die unmittelbare Ursache bezieht, in Kurzform. Es ist eine kritischere und tiefgründigere Art, die *wahren* Antworten und Erklärungen für Ereignisse zu entdecken. Qualitatives Denken bedeutet, über die unmittelbare Ursache hinauszugehen - die normalerweise nur eine physische Abfolge von Hinweisen ist - und die Faktoren, Denk- oder

Gefühlsmuster sowie Umweltelemente zu verstehen, die den Grundstein dafür legen, dass etwas passiert.

Es könnte hilfreich sein, sich jede Reihe von Handlungen als durch etwas Psychologisches motiviert vorzustellen. Eine Möglichkeit, diesen Entdeckungsplan in die Tat umzusetzen, ist die „Five Whys"-Methode, bei der einfach fünfmal „warum" gefragt wird, um eine tiefere Ursache zu ermitteln:

Warum ist Hal im Gefängnis? Weil es einen Haftbefehl gegen ihn gab (unmittelbare Ursache).

Warum? Weil er auf seine mehrfachen Geschwindigkeitsübertretungen nicht vor Gericht erschienen ist.

Warum? Weil er neunmal das Tempolimit überschritten hat und erwischt wurde.

Warum? Weil er ein „Bedürfnis" oder einen Impuls hat, auf der Autobahn superschnell zu fahren.

Warum? Weil er als Kind nie Grenzen hatte und dachte, er könnte ohne Konsequenzen tun, was er wollte.

Die Unterscheidung zwischen unmittelbaren und grundlegenden Ursachen führt dazu, dass man im Entdeckungsprozess weitermacht - während man, seinem eigenen Instinkt überlassen, vielleicht einfach aufhört zu fragen, sobald man die unmittelbare Ursache identifiziert hat oder sogar, wenn man eine vage Korrelation sieht. Indem man tiefer geht, bekommt man ein besseres Verständnis dafür, warum Dinge passieren und ist besser in der Lage, mit Problemen umzugehen.

MM #16: Umgekehrtes Erzählen

Verwenden Sie dieses Modell, um die Verursachung effektiver zu bestimmen.

Apropos Ursache ermitteln...

Nun, da Sie ein mentales Modell gelernt haben, mit dem Sie aufhören können, Korrelation mit Kausalität zu verwechseln, tauchen wir tiefer in die Kausalität ein als mit der Fünf-Whys-Technik aus dem vorherigen mentalen Modell. Für diejenigen unter uns, die eher künstlerisch veranlagt sind, ist dies der Moment, in dem Sie glänzen können.

Ein *Fischgrätendiagramm* ist eine Methode, mit der Sie mehrere mögliche Ursachen für ein Problem oder eine Wirkung identifizieren können. Die Fähigkeit, aus einer beobachteten Wirkung auf Ursachen zu schließen, ist ein integraler Aspekt der Deduktion, insbesondere wenn es um Problemlösungen geht. Wenn Sie eine Liste aller möglichen Ursachen für ein Problem erstellen, erhalten Sie gleichzeitig einen Plan der spezifischen Faktoren, auf die Sie sich konzentrieren müssen, um letztendlich praktikable Lösungen zu finden.

Das Fischgrätendiagramm ist so strukturiert, dass diese Ursachen in Kategorien eingeordnet werden, so dass Sie eine geordnetere Perspektive auf die gesamte Situation erhalten. Es ist eine organisiertere Art, in umgekehrter Richtung von der Wirkung zur Ursache zu arbeiten und ist ein häufig verwendetes Werkzeug zur Strukturierung von Brainstorming-Sitzungen. Das Endprodukt ist eine visuelle Darstellung aller Faktoren - sowohl aus der Mikro- als auch aus der Makroperspektive -, die eine Rolle bei der Entstehung der Wirkung oder des Problems spielen.

Um ein Fischgrätendiagramm zu erstellen, schreiben Sie zunächst eine Problemaussage oder einen Effekt irgendwo in den mittleren rechten Bereich eines Whiteboards oder einer beliebigen Schreibfläche. Zeichnen Sie einen Kasten darum und dann eine horizontale Linie quer über die Seite, die in diesem Problemkasten endet. Dieser Kasten dient als „Kopf" des Fischgrätendiagramms.

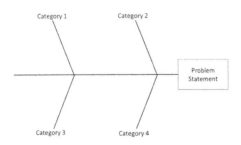

Zeichnen Sie als Nächstes die „Gräten" des Körpers, indem Sie weit auseinanderliegende vertikale Linien skizzieren, die von der horizontalen Hauptlinie ausgehen. Zeichnen Sie Gräten oberhalb und unterhalb der Hauptlinie, leicht schräg vom Kopf der Fischgräte weg. Diese Gräten werden mit den verschiedenen Kategorien der Ursachen beschriftet, die Sie sich überlegt haben. Es liegt an Ihnen, die Kategorien zu benennen, die auf das Problem zutreffen, an dem Sie arbeiten.

Jedes Mal, wenn Ihnen eine mögliche Ursache für das Problem einfällt, schreiben Sie sie als Verbindung zu dem jeweiligen „Knochen" auf, unter dem sie kategorisiert ist. Sie können dieselbe Ursache unter mehreren Kategorien notieren, falls zutreffend. Fragen Sie dann für jede notierte Ursache weiter, was sie verursacht haben könnte, und schreiben Sie es als Verbindung zu dieser Ursache auf - und so weiter, bis Ihnen keine primäre Ursache mehr einfällt. Auf diese Weise können Sie

Ihre Fähigkeiten zum deduktiven Denken trainieren, bis Sie zu den grundlegendsten Ursachen des Problems gelangen.

Wenn Sie mit dem Diagramm fertig sind, hinterfragen Sie die Ursachen, die Sie aufgelistet haben, und betrachten Sie die Beweise dafür. Wie viel trägt die identifizierte Ursache wirklich zur Entstehung des Effekts bei? Ist ihre Verbindung mit dem Problem gut etabliert und bedeutend genug, um sie ernsthaft in Betracht zu ziehen? Machen Sie es sich zur Gewohnheit, zu denken: „Was würde diese Ursache zu einem echten und bedeutenden Faktor für das vorliegende Problem machen?"

Nehmen wir an, Sie sind ein Hotelmanager und versuchen, die Ursachen für niedrige Kundenzufriedenheitsbewertungen für Ihren Hotelservice zu verstehen. Schreiben Sie das Problem in ein Kästchen als den Fischgräten-"Kopf" und die Kategorien möglicher Ursachen (in diesem Fall die vier P's der Dienstleistungsbranche) als die Haupt-"Gräten". Auf diese Weise würden die ersten Stufen Ihres Fischgrätendiagramms wie folgt aussehen:

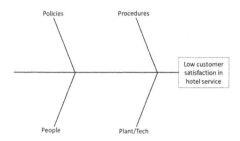

Beginnen Sie dann, jede Kategorie mit möglichen Ursachen auszufüllen. Zum Beispiel haben Sie festgestellt, dass mögliche Ursachen für das Problem (1) der langsame Umgang mit Kundenbeschwerden und (2) die Unfähigkeit des Hotelpersonals, auf die Bedürfnisse der Kunden einzugehen, sind, was dazu führt, dass der Kunde mit dem Service unzufrieden ist.

Wenn Sie sich fragen, warum es Ihren Mitarbeitern an Sensibilität für die Kundenbedürfnisse mangelt, könnten Sie sich vorstellen, dass sie so lange arbeiten, dass sie nur noch das Nötigste an Service leisten können; sie haben nicht mehr genug Energie, um den spezifischeren

Bedürfnissen der Kunden mehr Aufmerksamkeit zu schenken. Unter dieser Voraussetzung würde Ihr Fischgrätendiagramm nun Folgendes anzeigen:

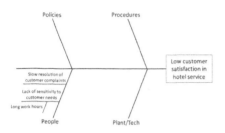

Indem Sie sich weiterhin fragen, warum das Problem existiert, beginnen Sie, weitere mögliche Ursachen zu identifizieren und sie unter den gegebenen Kategorien zu notieren, was dazu führt, dass Ihr Diagramm in etwa so aussieht:

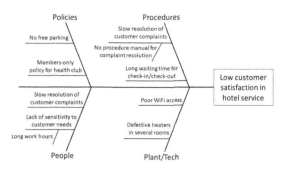

Indem Sie sich systematisch vom Problem rückwärts zu den Ursachen vorarbeiten, können Sie bestimmte Aspekte Ihrer Situation identifizieren, die Sie dann entsprechend angehen können. Das Fischgrätendiagramm ist ein Werkzeug, das Ihre Bemühungen, das Problem zu lösen, effektiv an den Wurzeln - oder in diesem Fall an den Gräten - packt.

Es ist eine großartige Möglichkeit, Ihr Denken im Prozess des Umgekehrten Erzählens zu lenken, da es Ihnen erlaubt, konkret nachzuvollziehen, wie das Problem mit bestimmten ursächlichen Faktoren verbunden ist.

Versuchen Sie, eine Szene, eine Person oder eine beliebige andere Sache zu beobachten und zehn Details daran festzustellen. Dann schreiben Sie für jedes dieser Details fünf mögliche Ursachen auf, die dazu geführt haben könnten, dass dieses bestimmte Detail eben so ist. Versuchen Sie, die möglichen Ursachen, die Sie auflisten, zu variieren, von ganz realistisch bis hin zu geradezu bizarr. So trainieren Sie Ihre Fähigkeit, um jedes Detail eine Geschichte zu entwickeln und zu überlegen, was ihm vorausgegangen ist, und üben so Ihre Fähigkeiten im umgekehrten Geschichtenerzählen.

MM #17: SCAMPER It

Verwenden Sie dieses Modell, um methodisch und kreativ Probleme mit der Kraftschlüssigkeit zu lösen.

Listen von mentalen Modellen können sich manchmal anfühlen wie Checklisten.

Das ist ein Merkmal, kein Fehler. Mit anderen Worten, es ist ihre beabsichtigte

Funktion, denn sonst neigt man als Mensch dazu, Dinge zu vergessen oder durch die Maschen schlüpfen zu lassen. Zu diesem Zweck werden wir mit diesem mentalen Modell wirklich das Gefühl einer Checkliste einführen, denn bei SCAMPER geht es um einen methodischen Ansatz zum Lösen von Problemen und Finden von Lösungen.

Die SCAMPER-Methode wurde von Bob Eberle entwickelt, um die Kreativität während Brainstorming-Sitzungen anzuregen. Sie steht für sieben Techniken, die helfen, das Denken auf neue Ideen und Lösungen zu lenken:

(S) substitute - ersetzen,

(C) combine - kombinieren,

(A) adapt - anpassen,

(M) minimize/magnify - verkleinern/vergrößern,

(P) put to another use - umfunktionieren,

(E) eliminate - eliminieren

(R) reverse - umkehren.

Zusammengenommen basieren diese Techniken auf der Idee, dass man etwas Neues erfinden kann, indem man einfach die alten Dinge, die bereits um einen herum vorhanden sind, modifiziert.

Stellen Sie sich dieses mentale Modell vor wie das Öffnen eines Wasserhahns, der Wasser in sieben Rohre leitet, und jedes dieser Rohre führt zu einem einzigartigen Topf mit Erde. Jeder Topf hat das Potenzial, neues Wachstum hervorzubringen, sobald die Samen darin bewässert werden. Beachten Sie, dass die SCAMPER-Methode nicht erfordert, dass Sie eine bestimmte Reihenfolge von Schritten einhalten. Sie können sie in beliebiger Reihenfolge oder Sequenz anwenden und zwischen den verschiedenen Techniken springen.

Außerdem fördert es das Prinzip der *Zwangsanpassung,* ein Kandidat für ein eigenes mentales Modell. Das bedeutet, dass man, um neue Lösungen zu finden, bereit sein sollte, Ideen, Objekte oder Elemente zu integrieren - egal wie unähnlich, unverbunden oder scheinbar unlogisch sie sind. Dies ist ein wesentliches Element von SCAMPER, weil wir zu oft durch unsere Vorurteile und Annahmen über das, was *nicht* sein *kann,* zurückgehalten werden.

Ersetzen. Diese Technik bezieht sich auf das Ersetzen bestimmter Teile im Produkt, Prozess oder in der Dienstleistung durch einen anderen, um ein Problem zu lösen. Um diese Technik zu nutzen, betrachten Sie zunächst die Situation oder das Problem im Hinblick darauf, dass es viele Elemente gibt - mehrere Materialien, mehrere Schritte im Prozess, verschiedene Zeiten oder Orte, an denen der Prozess stattfinden kann, verschiedene Absatzmärkte für das Produkt oder die Dienstleistung und Ähnliches. Dann überlegen Sie, dass jedes einzelne dieser Elemente durch eine Alternative ersetzt werden kann.

Einige Fragen, die Ihnen helfen können, in diesen Gedankenfluss zu kommen, sind die folgenden: „Könnte ein kostengünstigeres Material das derzeit verwendete ersetzen, ohne die Produktqualität zu beeinträchtigen?" „Welcher Teil des Prozesses kann auf eine einfachere Alternative umgestellt werden?" „An welchen anderen Orten können wir unsere Dienstleistungen anbieten?"

Nehmen wir an, Sie stellen Bastelarbeiten her, für die Sie eine bestimmte Art von Klebstoff verwenden. Sie stellen jedoch fest, dass der von Ihnen verwendete Kleber leicht austrocknet und verklumpt, selbst wenn er richtig gelagert wird, was zu Ausschuss und höheren Produktionskosten führt. Um dieses Problem zu lösen, sollten Sie überlegen, ob Sie nicht einen anderen Klebstoff verwenden könnten, um den derzeit verwendeten zu ersetzen. Ein anderes Beispiel wäre der Ersatz von importierten Materialien durch lokale Materialien, was nicht nur Ihre Kosten senkt, sondern auch der örtlichen Gemeinschaft hilft.

Kombinieren. Diese Technik schlägt vor, zu überlegen, ob zwei Produkte, Ideen oder Schritte eines Verfahrens kombiniert werden können, um ein einzelnes Ergebnis oder einen Prozess zu erzeugen, der in irgendeiner Weise besser ist. Zwei bestehende Produkte könnten etwas Neues

173

ergeben, wenn sie zusammengefügt werden. Zwei alte Ideen könnten zu einer frischen, bahnbrechenden Idee verschmelzen, wenn sie auf die richtige Weise zusammengeführt werden. Zwei Schritte eines Prozesses können zu einem verschmolzen werden, um ein strafferes, effizienteres Verfahren zu schaffen.

Zu den Fragen, die einen Gedankengang unter Verwendung der kombinierten Technik erleichtern können, gehören die folgenden: „Können wir zwei oder mehrere Elemente miteinander verbinden?" „Können wir zwei Prozesse zur gleichen Zeit durchführen?" „Können wir uns mit einem anderen Unternehmen zusammenschließen, um unsere Marktstärke zu verbessern?"

So hat die Kombination von Löffel und Gabel zur Erfindung des Göffel (Löffel + Gabel) geführt, einem Utensil, das heute wegen seiner kostensparenden und praktischen Gestaltung oft in verzehrfertigen Nudelbechern verpackt ist. Er löst das Problem, zwei verschiedene

Utensilien herstellen zu müssen, und halbiert effektiv die Produktionskosten.

Anpassen. Diese Technik zielt darauf ab, etwas anzupassen, um es zu verbessern. Sie löst Probleme, indem sie die Art und Weise, wie Dinge normalerweise getan werden, verbessert, wobei diese Anpassungen von etwas Kleinem bis hin zu etwas Radikalem reichen. Sie fordert Sie heraus, über Möglichkeiten nachzudenken, wie Sie etwas bereits Vorhandenes - sei es ein Produkt, ein Prozess oder eine Art, Dinge zu tun - so anpassen können, dass es ein aktuelles Problem löst und besser auf Ihre Bedürfnisse zugeschnitten ist.

Wenn Sie zum Beispiel feststellen, dass Sie weniger Energie haben als sonst, können Sie das Problem lösen, indem Sie Ihre Lebensmittelauswahl anpassen, z. B. indem Sie leere Kalorien und verarbeitete Lebensmittel einschränken. In der Geschäftswelt wird diese Technik auch oft von Brainstorming-Gruppen verwendet, die ihr Produkt, ihre Dienstleistung oder ihren Produktionsprozess verbessern wollen.

Einige Fragen, die unter dieser Rubrik betrachtet werden, sind die folgenden: „Wie können wir den bestehenden Prozess so regulieren, dass wir Zeit sparen?" „Wie können wir das bestehende Produkt optimieren, um es besser zu verkaufen?" „Wie können wir den bestehenden Prozess anpassen, um kostengünstiger zu sein?"

Ein Beispiel für eine Produktanpassung ist die Entwicklung von Handyhüllen, die mit Stoßdämpfern oder stoßfestem Material ausgestattet sind. Dieser clevere Kniff wurde offensichtlich als Reaktion auf das weit verbreitete Problem des versehentlichen Fallenlassens und der daraus resultierenden Beschädigung empfindlicher Telefonteile entwickelt. In ähnlicher Weise ist die Wasserdichtigkeit von Handyhüllen, Armbanduhren und dergleichen ein weiteres Beispiel für die Anpassung eines Produkts, um es zu verbessern.

Vergrößern oder Verkleinern. Bei dieser Technik wird ein Element entweder vergrößert oder verkleinert, um neue Ideen und Lösungen herbeizuführen. Vergrößern bezieht sich darauf, etwas zu vergrößern, z. B. ein Problem zu übertreiben, eine Idee stärker zu betonen, ein Produkt größer oder stärker zu machen oder einen Prozess häufiger durchzuführen.

Auf der anderen Seite bedeutet Minimieren, etwas zu verkleinern, z. B. ein Problem abzuschwächen, eine Idee zu vernachlässigen, ein Produkt zu verkleinern oder einen Prozess weniger häufig auszuführen. Wenn Sie bestimmte Elemente im Hinblick auf ihre Vergrößerung oder Verkleinerung durchdenken, erhalten Sie zwangsläufig neue Einsichten in die wichtigsten und unwichtigsten Teile Ihres Problems, die Sie zu effektiven Lösungen führen.

Diskussionsfragen, die die Vergrößerungstechnik anwenden, sind z. B. die folgenden: „Wie können Sie das Problem übertreiben oder überbetonen?" „Was wäre das Ergebnis, wenn Sie diese Eigenschaft hervorheben würden?" „Würde es einen

Unterschied machen, wenn Sie den Prozess häufiger durchführen?" Was die Verkleinerung angeht, fordern Sie sich selbst heraus, über Folgendes nachzudenken: „Wie wird die Verkleinerung dieses Merkmals das Ergebnis verändern?" „Wie können wir dieses Produkt verdichten?" „Wird es zu einer besseren Effizienz führen, wenn wir diesen Schritt seltener durchführen?"

Angenommen, Sie wurden beauftragt, in ein kleineres Büro zu wechseln. Sie stehen nun vor dem Problem, Ihre Sachen in einem engeren Raum unterzubringen. Wenn Sie die Technik des Vergrößerns und Verkleinerns anwenden, um Ihr Dilemma zu lösen, können Sie sich die Frage stellen, auf welche Bürokomponenten Sie mehr oder weniger Wert legen würden. Legen Sie mehr Wert auf Platz für den Empfang und die Besprechung mit Kunden oder für technische Geräte oder vielleicht für die Unterbringung von Akten?

Die Überlegung, welchen Aspekt Sie vergrößern wollen, wird Ihnen helfen, die

Dinge in Ihrem neuen Büro so auszuwählen und anzuordnen, dass sie Ihre Bedürfnisse und Werte am besten widerspiegeln. Wenn Sie die Technik des Verkleinerns anwenden, überlegen Sie, welche Ihrer Büroutensilien zusammengelegt werden können, damit sie auf eine kleinere Grundfläche passen. Während Sie zum Beispiel früher vielleicht getrennte Tische für Ihren Computer und Ihren Drucker hatten, könnten Sie stattdessen jetzt einen kompakten Computertisch mit einem Druckerregal verwenden.

Umfunktionieren. Diese Technik zielt darauf ab, herauszufinden, wie ein bestehendes Produkt oder ein Prozess für einen anderen als den ursprünglichen Zweck verwendet werden kann. Sie regt eine Diskussion über die unzähligen anderen Möglichkeiten an, eine Verwendung für alles zu finden, von Rohstoffen über Fertigprodukte bis hin zu Abfall. Im Grunde geht es darum, einen neuen Zweck für alte Dinge zu finden.

Einige Fragen, die diesen Gedankengang erleichtern können, sind die folgenden: „Wie kann dieses Produkt sonst noch verwendet werden?" „Kann ein anderer Teil des Unternehmens dieses Material verwenden?" „Können wir eine Verwendung für die Teile finden, die wir wegwerfen?"

Stellen Sie sich vor, wie dies für Dinge gelten würde, die in Ihrem eigenen Haus herumliegen. Wie würden Sie zum Beispiel das Problem alter Zeitungen angehen, die sich in einer Ecke stapeln? Sie zum Reinigen der Fensterscheiben zu verwenden, ist eine gängige Lösung, aber wie wäre es, wenn Sie ganz neue Möglichkeiten finden, sie zu verwenden? Indem Sie sich selbst herausfordern, an mehr unkonventionelle Verwendungsmöglichkeiten zu denken, werden Sie den Nutzen dieser alten Zeitungen vergrößern - von der Verwendung als zuverlässiger Deodorant für Schuhe bis hin zum Rohmaterial für lustige Pappmaché-Basteleien.

Eliminieren. Diese Technik zielt darauf ab, die unnötigen Elemente eines Projekts oder Prozesses zu identifizieren und zu eliminieren, damit ein besseres Ergebnis erzielt werden kann. Es wird überlegt, wie ein Verfahren durch den Wegfall überflüssiger Schritte gestrafft werden kann oder wie trotz der Kürzung von Ressourcen die gleiche Leistung erbracht werden kann. Die freigewordenen Ressourcen könnten dann zur Förderung von Kreativität und Innovation eingesetzt werden.

Zu den Fragen, die dieses Themaausmachen, gehören die folgenden: „Gibt es einen Schritt, den wir weglassen können, ohne das Ergebnis zu beeinflussen?" „Wie würden wir die gleiche Aktivität durchführen, wenn wir nur die Hälfte der Ressourcen hätten?" „Was würde passieren, wenn wir diesen Teil eliminieren würden?"

Eine der nützlichsten Anwendungen dieser Technik liegt im Bereich der Bewältigung finanzieller Probleme im täglichen Leben.

Zum Beispiel stellen Sie fest, dass Sie genug für Ihre täglichen Ausgaben verdienen, aber nie dazu kommen, Geld für Notfälle beiseitezulegen. Ohne die Möglichkeit, ein höheres Einkommen zu erzielen, bleibt nur die Möglichkeit, die Ausgaben zu reduzieren, um für einen Notfallfonds zu sparen.

Verwenden Sie die Eliminierungstechnik, um Ausgaben zu identifizieren, die Sie einsparen können - verzichten Sie vielleicht auf den Kauf der schicken neuen Tasche, die Sie nicht wirklich brauchen, oder entscheiden Sie sich für günstigere selbstgekochte Mahlzeiten, anstatt auswärts zu essen. Das Geld, das durch die Eliminierung unnötiger Ausgaben frei wird, können Sie dann als Ersparnisse für schlechte Zeiten verwenden.

Umkehren. Diese Technik schlägt vor, die Reihenfolge der Prozessschritte umzukehren, um Lösungen zu finden und Innovationspotenziale zu maximieren. Auch als Rearrange-Technik („Umkehrtechnik") bekannt, regt diese Denkweise dazu an,

Elemente zu vertauschen oder den Prozess rückwärts zu betrachten, um eine neue Sichtweise auf die Situation zu erlangen.

Einige Fragen, die die Umkehrtechnik anwenden, sind die folgenden: „Wie würde die Umkehrung des Prozesses das Ergebnis verändern?" „Was würde passieren, wenn wir den Vorgang von hinten aufrollen würden?" „Können wir einen Schritt mit einem anderen vertauschen?"

Angenommen, Sie haben Schwierigkeiten, Ihren Vorsatz zu erfüllen, mehr Sport zu treiben. Sie haben sich fest vorgenommen, am Ende des Tages 30 Minuten zu trainieren. Aber wenn die Zeit dafür gekommen ist, scheinen Sie immer andere, dringendere Dinge zu erledigen oder sind zu müde dafür. So kommen Sie nie dazu, es konsequent zu tun. Um dieses Problem zu lösen, können Sie die umgekehrte Technik anwenden.

Prüfen Sie, ob Sie Ihr Zeitfenster für das Training mit einem anderen Teil Ihres Tages tauschen können, z. B. indem Sie sich morgens als Erstes dafür Zeit nehmen. Wenn Sie die Zeit für das Training umdrehen, fällt es Ihnen vielleicht leichter, sich an die Routine zu halten, da Sie morgens noch nicht erschöpft oder zu sehr von den Aktivitäten des Tages geplagt sind.

Die SCAMPER-Methode ist eine der einfachsten und zugleich effektivsten Strategien, um Lösungen für Probleme zu finden und kreatives Denken zu entfachen. Da ein Prozess aus sieben verschiedenen Blickwinkeln erforscht wird - Ersetzen, Kombinieren, Anpassen, Modifizieren, Umnutzen, Eliminieren und Umkehren - bleibt kein Stein auf dem anderen, und selbst unkonventionelle Lösungen können entdeckt werden. Wo Sie vorher ein oder zwei Möglichkeiten hatten, ein Problem zu betrachten, haben Sie jetzt sieben zusätzliche Ansätze, die Sie anwenden können.

MM #18: Zurück zu den ersten Prinzipien

Verwenden Sie dieses Modell, um Vorurteile zu widerlegen und Ihre eigene Lösung zu finden.

Der berühmte südafrikanische Unternehmer Elon Musk stellt eine einfache Frage, die uns beim Lösen von Problemen helfen soll: *Wie können wir sicher sein, dass wir nicht versuchen, ein Problem auf der Grundlage unvollkommener oder unvollständiger Informationen zu lösen?*

Willkommen beim mentalen Modell des *First-Principle-Denkens*, bei dem man so lange alles über ein Problem aus dem Weg räumt, bis man nur noch die grundlegenden Komponenten hat - denn nur dann kann man das Problem selbst wirklich ungehindert angehen.

Ein großer Teil unseres Denkens und unserer Analysen beruht auf den Errungenschaften, Entdeckungen und Annahmen anderer Menschen. Wir sehen, wie jemand anderes etwas macht - ein Fahrrad baut, einen Kuchen backt, ein Lied schreibt, ein kleines Geschäft eröffnet - und kopieren mehr oder weniger das, was er gemacht hat, und fügen nur ein paar Dinge hinzu, um es zu verbessern. Wir denken nicht viel darüber nach und folgen dem Beispiel aus verschiedenen Gründen, von denen einer lautet: „Das wurde schon immer so gemacht." Warum müssen wir das Rad neu erfinden?

Es mag nicht innovativ oder originell sein, aber einem bewährten Leitfaden zu folgen, funktioniert. Nicht wahr?

Dies ist als *Analogie-Schlussfolgern* bekannt, und es *funktioniert*, aber es ist anfällig für Fehler und Irrtümer, weil Sie einem Pfad wie einem Evangelium folgen, während die zugrunde liegenden Annahmen nicht hinterfragt werden. Stellen Sie sich vor, Ihnen wurde gesagt, dass ein Kuchen eine bestimmte Menge an Mehl und Eiern hat, und Sie haben das Rezept einfach nachgeahmt, ohne es zu hinterfragen. Dieses Rezept mag über Generationen weitergegeben worden sein, aber vielleicht wurde es einmal auf eine Großmutter in der Linie angepasst, die nur eine bestimmte Menge Mehl und Eier zur Verfügung hatte. Vielleicht ist dadurch der Kuchen gar nicht so lecker, und wenn Sie vom weitergegebenen Rezept abweichen würden, würden Sie den Kuchen um das Zehnfache verbessern.

Der Punkt ist, dass das, was wir über ein Problem oder Szenario zu wissen glauben, oft auf einer Reihe von Annahmen beruht. Annahmen sind nicht immer richtig. Wir nehmen an, dass Mehl und Eier in einem bestimmten Verhältnis den bestschmeckenden Kuchen ergeben, aber stimmt das auch? Vielleicht sind Sie nur der Blinde, der den Blinden folgt. (Entschuldigung an alle Großmütter.)

Das Denken nach ersten Prinzipien ist die Praxis, die Tendenz zum *Mitläufertum* auszulöschen und Annahmen zu zerlegen, bis nur noch grundlegende Faktoren übrig sind. Das Denken nach ersten Prinzipien entfernt die Unreinheit von Annahmen und Konventionen.

Diese Methode entfernt die Meinungen und Interpretationen anderer Leute und bringt Sie zu den wesentlichen existierenden Elementen. Von dort aus können Sie dann wieder zu einer Lösung gelangen, oft mit einem völlig neuen Ansatz, der auf Wahrheiten beruht, die unanfechtbar und unbestreitbar sind - weil Sie sich nicht mehr auf irgendwelchen Annahmen ausruhen.

Omas Kuchen auf die ersten Prinzipien herunterzubrechen hieße also, zunächst zu untersuchen, was man eigentlich zum Backen eines Kuchens braucht und in welchen Anteilen. Erst dann könnte man damit beginnen, den Kuchen nachzubacken, um ihn schmackhafter zu machen, und man könnte feststellen, dass andere Proportionen und Zutaten benötigt werden. Das klingt nach einer einfachen Lösung, aber manchmal kommt es uns einfach nicht in den Sinn, dass nicht alles in Stein gemeißelt ist.

Musk vertritt bei allem, was er tut, das First-Principle-Denken und lehnt es vehement ab, dass man ihm sagt: „Das ist unmöglich." Sicher, es könnte unmöglich sein, nach den derzeit geltenden Annahmen, aber nicht nach *seinen*.

Als Musk versuchte, SpaceX, ein privatisiertes Raumfahrtunternehmen, zu gründen, stieß er schnell auf den Grund, an dem alle anderen ähnlichen Bemühungen gescheitert waren: die massiven Kosten für Raketen. Da das Geschäft von SpaceX darin bestehen würde, Raketen ins All zu schicken, war dies ein ziemliches Hindernis.

Aber seine Preisschätzungen beruhten auf der Annahme, dass er Raketen von anderen Unternehmen kaufen müsste. Er wandte das First-Principle-Denken an und schlüsselte die realen Kosten auf, um irgendwie ins Weltall zu gelangen, und er fand schnell heraus, dass der Preis einer Rakete nicht so hoch war, wie es schien.

Anstatt eine *fertige* Rakete für bis zu 65 Millionen US-Dollar zu kaufen, entschied sich Musk, den Prozess *auszulagern*, die Rohmaterialien zu kaufen und die Raketen selbst zu bauen. Innerhalb weniger Jahre hatte SpaceX den Preis für den Start einer Rakete auf einen Bruchteil gesenkt - einigen Berichten zufolge auf 10% seiner früheren Schätzungen.

Musk nutzte das First-Principle-Denken, um die Situation auf das Wesentliche herunterzubrechen, und fragte einfach, was benötigt wird, um ins Weltall zu gelangen. Eine Rakete - diese Antwort änderte sich nicht. Aber die Rakete musste nicht von Boeing oder Lockheed oder einem der anderen etablierten Raumfahrtunternehmen kommen. Indem er von seinem Ziel ausging und dann die inhärenten Annahmen identifizierte, von denen er sich befreien wollte, war er in der Lage, eine effizientere Lösung zu schaffen. Man beginnt mit der Frage: „Was ist zu 100% sicher, wahr und bewiesen? Okay, lassen wir alles andere außer Acht."

Er nutzte sein mentales Modell ein weiteres Mal, als er das Problem des schnellen und effizienten Transports zwischen Los Angeles und San Francisco lösen wollte.

Die aktuellen Annahmen rund um eine solche Lösung sind zahlreich. Der offensichtliche Spitzenreiter wäre ein Hochgeschwindigkeitsbahnsystem, ähnlich den U-Bahn-Systemen in Korea und Japan. Allerdings ist es nur eine Annahme, dass sein neues Transportmittel den bestehenden Systemen ähneln müsste. Wie wäre es also, das Rad neu zu erfinden?

Die Grundlagen seines Problems waren, dass er ein sichereres, schnelleres und billigeres System wollte - es konnte sich an bestehende Transportsysteme anpassen, musste es aber nicht. Was für ein neues System könnte mit diesen Anforderungen geschaffen werden? Das war die Geburtsstunde des Hyperloop, und wenn Sie Bilder davon gesehen haben, ähnelt es eher einer unterirdischen Achterbahn als einem Schienensystem. Aber das spielt keine Rolle, wenn das Problem gelöst ist, oder?

Um zugrundeliegende Prinzipien zu finden, durchläuft Musk einen kurzen dreistufigen Prozess, um bloße Annahmen zu überwinden. Für unsere Zwecke nehmen wir an, dass unser Problem darin besteht, Omas mangelhaften Kuchen nachzubacken.

1. Identifizieren und definieren Sie aktuelle Annahmen. Dies sind Dinge, die als gegeben erscheinen oder sich nicht

ändern lassen. Großmutters Kuchen erfordert eine bestimmte Mischung aus Mehl und Eiern. Oder doch nicht?

2. Zerlegen Sie das Problem bis auf seine grundlegenden Prinzipien. Es muss etwas Essbares präsentiert werden, das einem Kuchen ähnelt. Ein Kuchen benötigt normalerweise X Eier und Y Gramm Mehl. Er braucht Wärme und einen Behälter.

3. Schaffen Sie neue Lösungen von Grund auf. Omas Kuchen lässt sich mit den aktuellen Zutaten nicht herstellen, aber für alles, was fehlt, können wir adäquate Ersatzstoffe finden. Welche Substitutionen können im Rezept vorgenommen werden? Müssen es überhaupt Mehl oder Eier sein?

Sie können dieses Denkmodell für so ziemlich alles verwenden - für den Aufbau eines Unternehmens, das Erlernen von Geschichte oder Kunst, sogar für die Analyse eines emotionalen oder persönlichen Problems. Ihr Problem ist zum Beispiel, dass Sie scheinbar nicht genug Zeit in Ihrem Zeitplan haben, um ausreichend zu trainieren, um abzunehmen.

Annahmen: Gewichtsabnahme hängt vom Training ab, Sie haben nicht genug Zeit, Sie müssen so viel abnehmen, Ihr Zeitplan ist zu voll.

Zugrundeliegende Prinzipien: Die Gewichtsabnahme hängt hauptsächlich von der Ernährung ab, Sie können sich die Zeit nehmen, wenn Sie aufhören, so viel fernzusehen, Ihr Zeitplan lässt noch ein paar 20-minütige Pausen über den Tag verteilt zu, und Sie müssen eigentlich nicht *so* viel abnehmen.

Neue Methode: Eine Kombination aus kurzen, schnellen Workouts und gesünderer Ernährung, indem Sie alle Mahlzeiten der Woche am Sonntag vorbereiten.

Indem man den Untersuchungsprozess durchläuft, den das Denken nach ersten Prinzipien unterstützt, kann man alle Elemente, einzelnen Komponenten und Teile einer Situation klarer sehen. Das Denken nach ersten Prinzipien ist nicht einfach; wenn es so wäre, würde es jeder tun.

Fazit:

* Die meisten Arten, wie wir Probleme lösen, laufen darauf hinaus, gegen die gleiche Wand zu rennen und zu hoffen, dass sie irgendwann bröckelt. Offensichtlich ist das weder für uns noch für die Wand optimal. Bessere Problemlösungen können sicherlich von mentalen Modellen stammen, weil sie uns eine Formel liefern, der wir folgen können. Das ist schließlich alles, was Dinge wie die quadratische Gleichung oder π sind - mentale Modelle, die uns beim Lösen von Problemen helfen.

* Mentales Modell Nr. 13: Prüfen Sie Ihre Perspektiven. Vieles, woran wir bei der Lösung von Problemen scheitern, hängt mit unserer Unfähigkeit zusammen, andere Perspektiven einzunehmen. In der Tat sollten wir unsere Perspektiven durch Triangulation mit denen anderer ständig überprüfen. Denken und Lösen

194

in einem Vakuum wird nie funktionieren, denn wenn Sie etwas nicht selbst erlebt haben, wird es für Sie keinen Sinn ergeben.

- Mentales Modell Nr. 14: Finden Sie Ihre eigenen Schwächen. Bei diesem mentalen Modell geht es darum, der beruhigenden Verlockung des Bestätigungsvoreingenommenheit zu widerstehen und zu versuchen, sich selbst zu hinterfragen, bevor andere überhaupt die Chance dazu bekommen. Gehen Sie davon aus, dass Sie im Unrecht sind; dies gilt insbesondere für zwischenmenschliche Beziehungen. Wenn Sie davon ausgehen, dass Sie zu mindestens 1% für Konflikte verantwortlich sind, dann ist Ihre Illusion von Überlegenheit und Unfehlbarkeit gebrochen, ein wichtiger Faktor in der sozialen Interaktion.

- Mentales Modell Nr. 15: Trennen Sie Korrelation von Kausalität. Dies sind völlig unterschiedliche Dinge. Eine Beziehung zu erzwingen, wo keine existiert, führt dazu, dass Sie dem falschen Problem nachjagen. Darüber hinaus müssen Sie die unmittelbare Ursache von der Grundursache trennen - die Grundursache ist das, was wir immer erfahren wollen, und sie kann durch eine Reihe von Fragen erreicht werden.

- Mentales Modell #16 Umgekehrtes Erzählen. Wenn es um Kausalität geht, müssen wir manchmal einfach besser darin werden, in einer bestimmten Weise zu denken. Ein visuelles Hilfsmittel ist das Fischgrätendiagramm, das dann die Ursachen der Ursachen dokumentiert und so weiter. Das ist Storytelling in Reverse, umgekehrtes Erzählen, denn Sie beginnen mit einer Schlussfolgerung und arbeiten sich rückwärts durch manchmal mehrdeutige Schichten.

- Mentales Modell Nr. 17: SCAMPER It. Die SCAMPER-Methode steht für sieben Techniken, die helfen, das Denken auf neue Ideen und Lösungen zu lenken: (S) ersetzen, (C) kombinieren, (A) anpassen, (M) verkleinern/vergrößern, (P) umfunktionieren, (E) eliminieren und (R) umkehren.

- Mentales Modell #18: Zurück zu den ersten Prinzipien. Wenn wir versuchen, Probleme zu lösen, versuchen wir oft, Methoden oder einen bestimmten Weg einzuschlagen, nur weil es die konventionellen Mittel sind. Aber sind diese auch die besten? Das Denken in ersten Prinzipien entfernt bloße Annahmen und lässt Sie nur mit einer Reihe von Fakten und einem gewünschten Ergebnis zurück. Von dort aus können Sie Ihre eigene Lösung schmieden.

Kapitel 4. Anti-Mental-Modelle: Wie Vermeiden Erfolg züchtet

Wir haben einige mentale Modelle dafür untersucht, wie wir mit bestimmten Situationen umgehen, unser Denken verbessern, Probleme lösen und einige der heikleren Probleme im Leben frontal angehen können. Einige davon sind eine Reihe von Richtlinien, wie man denken sollte, und andere schreiben am Ende eine bestimmte Abfolge von Aktionen vor.

Diese sind hilfreich, aber sie haben alle eines gemeinsam: Sie sind alle auf eine Art Endziel ausgerichtet. Das mentale Modell gibt ein Ziel vor, ob es nun darum geht, Regressionen zum Mittelwert zu sehen, sich auf wichtige Aufgaben im Gegensatz zu dringenden Aufgaben zu konzentrieren oder Ihre Sichtweisen und Meinungen zur Verbesserung zu triangulieren. Je näher Sie dem Ziel kommen, desto näher kommen Sie dem Erfolg.

Daran ist nichts falsch, und wir sind von Natur aus dazu bestimmt, da es die Art von Schablone ist, mit der wir aufgewachsen sind. Wenn Sie in der Schule gut abschneiden wollen, streben Sie nach guten Noten und zeigen alle Ihre Leistungen. Wenn Sie der schnellste Wettkampfschwimmer sein wollen, streben Sie nach den schnellsten Zeiten und der besten Technik. Was auch immer das Ziel ist, Ihre Absicht sollte sein, ihm näher zu kommen.

Aber das führt nicht immer zu den besten Ergebnissen, und außerdem zeigt es nicht immer, wo unsere Prioritäten liegen sollten.

Manchmal (tatsächlich werden Sie feststellen, dass dies häufig und weit verbreitet ist) ist es sowohl einfacher als auch repräsentativer für Ihre wahren

Prioritäten, von einem bestimmten *negativen* Schwellenwert/Meilenstein *wegzuzielen* als auf einen bestimmten *positiven* Schwellenwert/Meilenstein hinzuarbeiten.

Zur Veranschaulichung: Nehmen Sie an, Sie wollen besser schwimmen lernen. Sie könnten sich jeden Tipp merken, wie Sie Ihre Technik verbessern können (lange Züge machen). Sie könnten aber auch an die Dinge denken, die ein schlechter Schwimmer tut und diese um jeden Preis vermeiden (kurze Züge vermeiden). Sie würden ein ähnliches Endergebnis erhalten, und möglicherweise ein besseres, weil Sie sich auf die Beseitigung Ihrer Schwachpunkte konzentrieren würden.

Wir können diese als *Anti-Mentale Modelle* bezeichnen, da sie immer noch einen Leitfaden bieten, aber es geht darum, sich von etwas wegzubewegen, anstatt darauf zuzugehen. Genauso wie wir mentale Modelle haben, um das zu bekommen, was wir vom Leben wollen, haben wir auch Denkweisen, die uns helfen können, die Dinge zu vermeiden, die wir *nicht* wollen.

Es kann genauso viel menschliche Entschlossenheit und Strategie erfordern, sich von Dingen zu lösen, wie es braucht, um das zu bekommen, was wir wollen. In beiden Fällen versuchen Sie, das Beste aus sich zu machen.

Was ist zum Beispiel, wenn Sie ein besserer Freund sein wollen? Anstatt eine Liste hervorragender Freundschaftsattribute zu erstellen, könnten Sie damit beginnen, eine Liste von Dingen zu erstellen, die Sie hassen würden, wenn man Ihnen etwas antun würde, und diese vermeiden. Dies könnte sogar noch bessere Ergebnisse bringen.

Wollen Sie produktiver sein? Anstatt sich zu fragen, wie Sie produktiver werden können, fragen Sie sich, was Ihre Produktivität sabotiert und machen Sie es sich zum Ziel, dies zu vermeiden.

Manchmal ist ein einfacher Wechsel der Perspektive das, was wir brauchen, um effektiver zu sein. Was bei der einen Person gut funktioniert, funktioniert bei der nächsten vielleicht gar nicht, auch wenn sie sehr ähnliche Gefühle haben. In jedem Fall kommt es darauf an, was Sie zu konsequentem Handeln bewegt.

Das Konzept der Anti-Mental-Modelle lenkt unsere Aufmerksamkeit auch auf etwas, das meist übersehen wird: den Umgang mit Negativem.

Wenn Ihre Schwimmtechnik zu 99% fantastisch ist, wird dieses 1% Sie immer noch zurückhalten. Das Erreichen einer Vielzahl positiver Ziele spielt normalerweise keine Rolle, wenn ein eklatantes Negativ vorhanden ist. Oft ist das, was im Leben zählt, das Fehlen jeglicher Negative und nicht das Vorhandensein von Positiven. Fragen Sie jemanden, ob er gerne die teuersten und luxuriösesten Schuhe hat, wenn sie ihm bei jedem Schritt die Zehen einklemmen, bis sie bluten. Unsere schwächsten Glieder sind in der Regel das, was uns zurückhält oder unerfüllt hält, und mit Anti-Mental-Modellen kümmern Sie sich vornehmlich um diese.

Bedenken Sie, dass man mit Geld kein Glück kaufen kann, aber die Beseitigung von

Ängsten um Sicherheit, Wohnung, Nahrung und Versorgung macht Menschen im Allgemeinen unempfindlich für Elend. Negatives zu beseitigen, sichert ein Mindestmaß an Erfüllung und Erfolg; normalerweise streben wir nach Höherem, aber das ist nicht das, was sich tatsächlich auf uns auswirken wird.

Dieses Kapitel befasst sich mit einigen Anti-Mental-Modellen, die Ihnen Klarheit darüber verschaffen, wie das Vermeiden von Negativem genauso viel Erfolg bringen kann wie das direkte Verfolgen von Zielen.

MM #19: Vermeiden Sie direkte Ziele

Verwenden Sie dieses Modell, um Klarheit darüber zu gewinnen, wie Sie Ihr übergeordnetes Ziel erreichen.

Wir machen genau da weiter, wo wir angefangen haben - damit, wie Sie Anti-Mental-Modelle erstellen, bei denen Sie sich darauf konzentrieren, etwas zu vermeiden. Diese sind genauso effektiv, wenn es darum geht, Sie auf ein Ziel zu lenken. Wir beginnen mit einem ganz klaren: *direkte* Ziele vermeiden. Wie zuvor wollen wir, um das gewünschte Ergebnis zu erreichen, vermeiden, auf etwas hinzuarbeiten und stattdessen daran arbeiten, ein Negativ zu vermeiden. Anstelle von direkten Zielen wollen wir *umgekehrte Ziele*, auch bekannt als *Anti-Ziele*.

Carl Jacobi, ein deutscher Mathematiker, war dafür bekannt, dass er einen solchen Ansatz nutzte, um schwierige mathematische Probleme zu lösen. Nach der Strategie *„Man muss immer umkehren"* schrieb Jacobi mathematische Probleme in umgekehrter Form auf und stellte fest, dass es für ihn einfacher war, auf diese Weise zur Lösung zu gelangen: indem er zuerst das fand, was *nicht* möglich war.

Indem er diese umgekehrte Denkweise auf das Leben im Allgemeinen überträgt, fordert Charlie Munger die Jugend auf, über die Umkehrung des Erfolgs nachzudenken, anstatt sich nur darauf zu konzentrieren, wie man Erfolg erreicht.

Er stellt die Frage: „Was wollen Sie vermeiden?" und gibt eine wahrscheinliche Antwort: Faulheit und Unzuverlässigkeit. Diese Eigenschaften sind Hindernisse für den Erfolg, und man kann sie genau dadurch beleuchten, dass man fragt, warum Menschen scheitern, anstatt zu fragen, warum sie erfolgreich sind. Indem man die Frage nach dem Erfolg umdreht, kann man die Treiber des Scheiterns entdecken und ist so in der Lage, solche Verhaltensweisen zu vermeiden, um sich zu verbessern. Mit anderen Worten: Wenn Sie hart daran arbeiten, Faulheit und Unzuverlässigkeit zu vermeiden, sollte der Erfolg Ihnen gehören.

Anstatt also zu fragen, was Sie tun müssen, um ein besserer Manager zu sein, sollten Sie überlegen, was ein schlechter Manager tun würde. Vermeiden Sie diese Handlungen. Wenn Ihr Geschäftsmodell auf Innovation ausgerichtet ist, fragen Sie: „Wie könnten wir das innovative Potenzial dieses Unternehmens *einschränken*?" Tun Sie das Gegenteil. Wenn Sie Ihre Produktivität verbessern wollen, fragen Sie: „Was sind die

Dinge, mit denen ich mich ablenke?"
Generell gilt: Anstatt zu fragen „Wie löse ich
dieses Problem?", fragen Sie „Wie würde ich
dieses Problem *verursachen*?" Dann tun Sie
das Gegenteil.

Die Umkehrung hilft Ihnen, Ihre
verborgenen Glaubenssätze aufzudecken
und erlaubt Ihnen, das zu vermeiden, was
Sie letztlich nicht wollen. Sie können
plötzliche Klarheit finden, wenn Sie
erkennen, dass Erfolg vielleicht wirklich
nur von der *Abwesenheit* von etwas
abhängt.

Es ist viel einfacher, zu vermeiden, was man
nicht will, als zu bekommen, was man will.
Die einfachste Art, Anti-Ziele oder
umgekehrte Ziele zu verwenden, erfordert
nur zwei Schritte. Es lässt sich auf fast alles
anwenden, was Sie erreichen wollen.

1. Definieren Sie Fehler oder Ursachen für
Unglücklichsein.

2. Erstellen Sie Methoden, um diese Dinge
um jeden Preis zu vermeiden.

Wollen Sie zum Beispiel die Qualität Ihrer Tage verbessern?

1. Definieren Sie Misserfolg oder Ursachen für Unzufriedenheit. Was definiert zum Beispiel einen Tag mit schlechter Qualität? Vier Faktoren: schlechter Schlaf, schlechter Verkehr, schlechte Ernährung und ein nerviger Hund.

2. Schaffen Sie Methoden, um diese Dinge auf jeden Fall zu vermeiden. Wie können Sie jeden dieser Faktoren angehen, die zu unglücklichen Tagen beitragen? Kaufen Sie ein neues Bett oder finden Sie ein neues Schlafritual. Finden Sie Wege, um Ihren Arbeitsweg angenehmer oder kürzer zu gestalten oder verlegen Sie Ihre Arbeitszeiten so, dass Sie ihn ganz vermeiden können. Packen Sie Ihr Mittagessen im Voraus oder lernen Sie, gesünder zu kochen. Kaufen Sie dem Hund mehr Kauspielzeug, engagieren Sie einen Hundesitter oder besorgen Sie ihm einen Kumpel.

Wenn wir dieses anti-mentale Modell noch weiter reduzieren, ist die mächtigste und einfachste Version, *einfach Dummheit zu vermeiden*. Wir versuchen typischerweise, uns klug und clever zu verhalten, und das ist wiederum die Art und Weise, wie uns von klein auf das Denken beigebracht wird.

Es ist nicht falsch, aber es lässt Raum für Verbesserungen. Der Versuch, kluge Dinge zu tun, kann gefährlich und zweideutig sein. Es ist eine Aufgabe mit offenem Ausgang. Aber Dummheit zu vermeiden, nun, das ist ziemlich deutlich. Munger, zum Thema Dummheit:

> Es ist bemerkenswert, wie viel langfristigen Vorteil Leute wie wir dadurch erlangt haben, dass wir versucht haben, konsequent nicht dumm zu sein, anstatt zu versuchen, möglichst intelligent zu sein. Es muss eine gewisse Wahrheit in der Volksweisheit stecken: „Es sind die starken Schwimmer, die ertrinken."

Ich habe mich um gutes Urteilsvermögen bemüht, indem ich vor allem Beispiele für schlechtes Urteilsvermögen gesammelt und dann darüber nachgedacht habe, wie man solche Ergebnisse vermeiden könnte.

Ein großer Teil des Erfolgs im Privatleben und im Beruf kommt daher, dass man weiß, was man vermeiden will: einen frühen Tod, eine schlechte Ehe usw... Vermeiden Sie einfach Dinge wie das Rennen nach Zügen am Bahnübergang, Kokain usw. Entwickeln Sie gute mentale Gewohnheiten... Vermeiden Sie das Böse, besonders wenn es sich um attraktive Mitglieder des anderen Geschlechts handelt.

Wir wollen sehen, was dazu geführt hat, dass Unternehmen schlecht gelaufen sind... Ich habe oft das Gefühl, dass man mehr davon hat, wenn man unternehmerische Misserfolge beleuchtet als unternehmerische Erfolge. In meinem Geschäft versuchen wir zu herauszufinden, wo Menschen in die Irre gehen und warum Dinge nicht funktionieren.

Halten Sie es einfach. Denken Sie bei Anti-Mental-Modellen daran, dass sie einen der offensichtlichsten Impulse der Menschheit nutzen: die Vermeidung von Schmerz und Unbehagen. Das ist der Grund, warum wir Phobien und Ängste haben und nicht anders können, als Junkfood zu essen. Das ist das, was uns einprogrammiert wurde und uns seit Äonen am Leben hält. Nutzen Sie es dieses Mal für das Gute!

MM #20: Vermeiden Sie es, wie ein Experte zu denken

Verwenden Sie dieses Modell, um strategisch in der Lage zu sein, sowohl den Wald (großes Bild) als auch die Bäume (feinere Details) zu sehen.

Die meisten von uns sind Experten in *irgendetwas*, egal ob es sich um ein großes, breit gefächertes Thema wie Wissenschaft oder Kunst oder etwas Spezielleres wie Kochen, Sport oder Sticken handelt. Wir fühlen uns mit unserem Wissen in diesen Bereichen sehr wohl, und das sollten wir auch. Ein tiefes Verständnis und übergreifende Kenntnisse auf einem Gebiet zu haben, ist eine Säule des Selbstbewusstseins. Das scheint eine gute Sache zu sein.

Man kann nie zu viel Wissen über ein bestimmtes Gebiet haben. In der Tat, je mehr Sie lernen, desto weniger haben Sie das Gefühl zu wissen.

Aber ist es möglich, dass unser Vertrauen in Verständnis und Wissen im „großen

Ganzen" dazu führen kann, dass wir gelegentlich die kleinen Details vernachlässigen? Und kann unser Fachwissen in einem bestimmten Bereich dazu führen, dass wir einfache Lösungen außerhalb unseres Verständnisbereichs übersehen?

Ein bekanntes Sprichwort sagt uns, dass wir „den Wald vor lauter Bäumen nicht sehen" würden. Damit ist gemeint, dass man, wenn man sich auf die kleinen Details (Bäume) konzentriert, dazu neigt, entweder den Fokus zu verlieren oder aufzuhören, dem großen Ganzen (Wald) Aufmerksamkeit zu schenken. Dies wäre der Fall, wenn Sie sich viel zu sehr auf das Spielen eines Videospiels (Baum) konzentrieren, obwohl der ursprüngliche Zweck des Videospiels darin bestand, Zeit mit Ihrem Partner zu verbringen und die Beziehung zu verbessern (Wald).

Und natürlich gilt auch das Umgekehrte: Man kann auch „den Wald vor lauter Bäumen nicht sehen", indem man sich auf das große Ganze konzentriert und dabei die kleineren Details übersieht. Wenn wir

Fachwissen auf einem Gebiet haben, neigen wir dazu, in diese Permutation zu verfallen, weil wir einen Blick auf etwas werfen und es sofort eine Vielzahl von Reaktionen und Gedanken auslöst. Wenn Sie ein erfahrener Musiker wären und sich ein Musikstück ansehen, würden Sie sich nicht unbedingt mit der Platzierung jeder Note, der Notation oder einem verirrten As oder Flat beschäftigen. Sie werden über die Gesamtmelodie, die Richtung, das Gefühl, die Phrasierung, die Dynamik und die Komposition nachdenken - der Gedanke an den *Wald* ist ein Experte.

Und genau in diesem Zusammenhang wurde dieses Anti-Gedankenmodell konzipiert: *Vermeiden Sie es, (gelegentlich) wie ein Experte zu denken, denn Experten denken nicht immer an die kleinen Details.* Denken Sie *nicht* wie ein Experte. Dies ist auf ein psychologisches Phänomen zurückzuführen, das *Goldovsky-Fehler* genannt wird, und es handelt sich um eine Art von kleinen Fehlern, die nur von Menschen leicht erkannt werden, denen es an Erfahrung auf einem Gebiet *mangelt.* Je mehr Ihr Fachwissen wächst, desto schwieriger wird es, diese kleinen Fehler zu erkennen. Experten überfliegen und machen Annahmen über die Grundlagen, weil so ihre Welt funktioniert; sie fungieren nicht als Rechtschreibprüfung.

Der Klavierlehrer Boris Goldovsky entdeckte einen Druckfehler in den Noten eines Johannes-Brahms-Stücks, das weithin vervielfältigt worden war. Genauer gesagt, entdeckte *er* ihn erst, als ein neugieriger Schüler von ihm die falsch geschriebene Note immer wieder spielte und er durch den dissonanten Klang verwirrt war.

Goldovsky fragte sich, warum niemand, von Komponisten über Verleger bis hin zu Pianisten und anderen Musikern, den Fehler bemerkt hatte. Es schien unmöglich, ihn zu übersehen. Er führte schließlich Studien durch, die zeigten, dass erfahrene Musiker den Fehler *immer* übersahen (selbst wenn sie wussten, dass irgendwo im Stück ein Fehler war), weil sie folgerten, welche Note tatsächlich dort sein sollte und wie die Note in das Gesamtstück passte. Am Ende war die einzige Person, die den Fehler selbst entdeckte, dieser eine unerfahrene Student.

Wie ein Experte zu denken, ist keineswegs eine schlechte Praxis, denn dadurch entstehen neue Zusammenhänge, Fortschritte im Denken und allgemeines Lernen. Aber für unsere Zwecke birgt es einige ziemlich große Fallstricke, die dazu führen, dass wir den Wald vor lauter Bäumen nicht sehen: Überfliegen, Beschönigen von Details, Annahmen, unbewiesene Zusammenhänge und das Denken darüber, wie etwas sein sollte oder sein könnte, im Gegensatz zu dem, was es derzeit wirklich ist.

1995 wurde der Film „Braveheart" mit großem Erfolg veröffentlicht - er gewann schließlich den Oscar für den besten Film. *Braveheart* handelt von dem schottischen Kämpfer William Wallace, der im 13. und 14. Jahrhundert einen Krieg gegen den schottischen König anführte. Bei aller technischen Brillanz enthält Braveheart einen der bemerkenswertesten Fauxpas der Filmgeschichte.

In einem Clip sehen wir eine riesige Armee, die sich in Zeitlupe auf eine Schlacht zubewegt, auf Pferden reitet, Waffen hebt und allgemein bereit aussieht, ein paar Schädel einzuschlagen. Aber in der unteren linken Ecke des Bildschirms ist ein weißes Auto zu sehen. Wenn Sie *Braveheart* gesehen haben, haben Sie dieses Auto wahrscheinlich übersehen, denn die Aufnahme, in der es zu sehen ist, dauert nur eine Sekunde. Sie können diese Behauptung auf YouTube verifizieren.

Zweifellos hat jeder, der *Braveheart* gemacht hat - der Regisseur, die Kameraleute, der Drehbuchautor, so ziemlich jeder am Set - monatelang an dem Projekt gearbeitet und hatte es wahrscheinlich die ganze Zeit über im Kopf. Sie mussten die Sets und die Kostüme authentisch hinbekommen, sie mussten die Schlachtszenen so choreografieren, dass sie spannend aussehen, sie mussten sich auf die historische Erzählung konzentrieren und so weiter. Vor allem aber waren sie natürlich Experten. Aber irgendwie hat jeder, der an *Braveheart* mitgewirkt hat, übersehen, dass da ein SUV mitten in einer mittelalterlichen Schlacht steht.

Dies ist ein weiteres Beispiel für das, wovon wir sprechen: zu sehr auf das große Ganze konzentriert zu sein, kann bedeuten, dass ein kleines, aber wichtiges Detail völlig übersehen wird.

Um zu vermeiden, wie ein Experte zu denken, trennen Sie Ihr Denken in zwei Modi: Experte und Neuling. Wie Sie gelernt haben, neigen sie dazu, sich auf völlig unterschiedliche Aspekte eines bestimmten Themas zu konzentrieren. Um wie ein Experte zu denken, tun Sie einfach das, was Sie normalerweise tun würden. Um wie ein Anfänger zu denken, müssen Sie sich zurücknehmen und dürfen keine Schritte auslassen.

Wenn ein erfahrener Koch sich ein Rezept ansieht, braucht er die Anleitung in der Regel nicht zu lesen. Alles, was er braucht, ist die Liste der Zutaten; kombiniert mit seinem Wissen, wie verschiedene Arten von Gerichten zubereitet werden, weiß er sofort, was getan werden muss. Ein

Anfänger würde alle Schritte einzeln und langsam durchgehen müssen. Und in diesem langsamen Prozess würde er Details und sogar potenzielle Fehler erkennen, die die Experten aufgrund ihrer anmaßenden Natur sonst übersehen würden.

Ja, auf jedes noch so kleine Detail zu achten, kann nervig, anstrengend und frustrierend sein, vor allem, wenn man sich in seinem Fachgebiet sicher ist. Aber es ist auch wahnsinnig effektiv bei der Vermeidung von Fehlern und sogar größeren Katastrophen.

MM #21: Vermeiden Sie Ihre Nicht-Genie-Zonen

Entscheiden Sie damit, worauf Sie Ihre Ressourcen und Zeit konzentrieren müssen.

Das typische mentale Modell wäre hier, in Ihrer Zone der Genialität zu bleiben. Bei diesem Anti-Mental-Modell geht es also darum, Dinge zu vermeiden, die außerhalb Ihrer Genie-Zone liegen.

Es ist gut, ehrgeizig zu sein und seine Fähigkeiten zu erweitern und so viele Dinge wie möglich zu lernen. Das können wir alle bis zu einem gewissen Grad tun. Wir werden uns nie weiterentwickeln, wenn wir unsere Komfortzone nicht verlassen und neue Dinge ausprobieren. Aber hier geht es nicht um Wachstum; es geht um die tatsächliche Leistung. Einige wenige von uns scheinen in so ziemlich allem, was wir tun, überirdische Talente zu haben, aber für unsere Zwecke nehmen wir mal an, dass wir nicht in diese Kategorie fallen.

Trotz unseres Vermögens, neue Fähigkeiten und neues Wissen zu erlernen, wird es immer Abstufungen geben – es gibt Dinge, in denen wir uns auf natürliche Weise auszeichnen können, sei es aufgrund von Zeit und Erfahrung oder natürlichem Talent, und Dinge, die uns immer schwer fallen werden.

Nehmen Sie Mike.

Er ist einer der talentiertesten und vielseitigsten Musiker, denen man jemals begegnen könnte. Er ist ein außergewöhnlicher Pianist, der Noten vom Blatt lesen kann (eine Fähigkeit, die heutzutage immer seltener wird) und Songs nach Gehör nachspielen kann. Einen Teil dieses Talents setzte er im Musiktheater ein, wo er entdeckte, dass er ein überraschend guter Schauspieler und ein unfassbar gefühlvoller Sänger war. Mike konnte in der Welt des Musiktheaters mit einem hohen Maß an Kompetenz fast alles bewerkstelligen.

Aber Mike konnte nicht tanzen. Er hatte einen tollen Rhythmus, ein großartiges Timing und ein unfehlbares Gefühl für das Tempo. Er konnte all das fehlerfrei ausführen, wenn er spielte oder sang. Aber er konnte es einfach nicht körperlich zusammenfügen und *tanzen*. Das hielt ihn nicht davon ab, für Rollen vorzusprechen, die ein gewisses Maß an Tanz erforderten. Diese Vorsprechen wurden zu einer großen Quelle der Belustigung für andere, die zusahen, und zu einer schmerzhaften Quelle der Peinlichkeit für Mike.

Er drehte sich selbst einen Strick, denn als man ihm eine Vielzahl von Rollen anbot, die wenig tänzerisch und viel von seinen anderen Talenten abverlangten, bestand er hartnäckig darauf, die klassische „dreifache Bedrohung" aus Tanzen, Singen und Schauspiel zu sein. Schnell merkten die Casting-Produzenten, dass er ihre Angebote nicht annehmen würde, und die Angebote kamen nicht mehr.

Mike operierte außerhalb seiner Genie-Zone. Ihm fehlte das Selbstbewusstsein, um einzusehen, was seine Stärken und Schwächen waren und daraus Kapital zu schlagen. Er bestand darauf, so zu tun, als ob er in allen drei Bereichen (Tanzen, Singen, Schauspielerei) eine ähnliche Effizienz und Leistung hätte, weil sie alle miteinander verbunden waren. Er irrte sich. Seien Sie nicht wie Mike.

Es ist großartig, viele Dinge zu beherrschen. Aber es ist auch großartig - und wohl auch menschlicher -, *seine Grenzen zu kennen,* und genau darum geht es in diesem Anti-Mental-Modell. Es gibt bestimmte Dinge, in denen Sie niemals große Fähigkeiten entwickeln werden. Das Erkennen dieser Grenzen ist ein Teil der Entwicklung dessen, was Sie als Person ausmacht. Es ist kein Eingeständnis, dass Sie im Leben versagt haben, sondern nur, dass Sie bei dieser einen bestimmten Sache versagen werden. Akzeptieren Sie es also, vermeiden Sie es, und bleiben Sie dort, wo Sie von Natur aus talentiert sind. Dort sind Sie am effektivsten und fühlen sich auch am wohlsten.

Richten Sie sich nicht auf einen Misserfolg ein, indem Sie außerhalb Ihrer Genie-Zone arbeiten. Richten Sie sich auf beständigen, zuverlässigen Erfolg ein, indem Sie innerhalb Ihrer Geniezone arbeiten. Finden Sie Ihre strategischen Vorteile heraus und nutzen Sie sie voll aus. Machen Sie sich nichts vor, indem Sie Ihre Schwächen zur Schau stellen; planen Sie lieber um sie herum.

Um es noch einmal zu wiederholen: Fühlen Sie sich frei, diese Bandbreite an Fähigkeiten so weit zu entwickeln, wie Sie es für richtig halten. Aber seien Sie sich bewusst, dass Sie immer ein Talent oder eine Reihe von Fähigkeiten haben werden, in denen Sie von Natur aus besser sind.

Schämen Sie sich nicht dafür, dass Sie Einschränkungen haben - seien Sie stattdessen selbstbewusst in Bezug auf das, worin Sie gut sind.

Hier ist, was Charlie Munger (ja, schon wieder) zu diesem Thema zu sagen hatte:

> Wir beschäftigen uns lieber mit dem, was wir verstehen. Warum sollten wir ein Wettbewerbsspiel in einem Bereich spielen wollen, in dem wir keine Vorteile - vielleicht sogar eher einen Nachteil - haben, anstatt in einem Bereich zu spielen, in dem wir einen klaren Vorteil haben? Jeder von Ihnen wird herausfinden müssen, wo sein Talent liegt. Und Sie werden Ihre Vorteile nutzen müssen. Aber wenn Sie versuchen, in dem Bereich erfolgreich zu sein, in dem Sie am schlechtesten sind, werden Sie eine lausige Karriere haben. Das kann ich fast garantieren.

Um dem zu entgehen, müssten Sie Lotto spielen oder anderweitig sehr viel Glück haben.

Dieser Munger-Typ ist *gut*.

MM #22: Vermeiden Sie To-Do-Listen

Lenken Sie damit Ihre Aufmerksamkeit nur auf das, was im Moment wichtig ist.

Dieses mentale Modell taucht in einen anderen Bereich ein: Produktivität.

Manchmal, wenn wir uns schwer tun anzufangen, liegt es daran, dass wir uns nicht entscheiden können, worauf wir uns fixieren sollen. Zu viele Dinge haben das Potenzial, unsere Aufmerksamkeit zu beanspruchen, und manchmal können wir nicht unterscheiden, was wir umgehen sollten und was tatsächlich unsere Aufmerksamkeit verdient.

Jeder kennt den Wert der To-Do-Liste, aber das ist nicht so hilfreich, wie man vielleicht denkt, weil jeder von Natur aus *irgendwie* weiß, was er tun sollte und bis wann er es tun muss. Der Akt des Aufschreibens hilft nur, sie daran zu erinnern. Das macht es wahrscheinlicher, dass sie tun, was sie wissen, dass sie es tun sollten - mehr als wenn sie keine solche Liste hätten.

Das unterschätzte Problem, mit dem die meisten von uns zu kämpfen haben, ist, dass wir keine Prioritäten setzen können und daher nicht wissen, was wir tun sollten und was *nicht*. Jeden Tag sollen wir die Aufgaben auswählen, die die größte Wirkung für uns haben werden, und es gibt viele versteckte Hindernisse. Daher ist es ebenso wichtig, neben Ihrer To-Do-Liste auch eine *Don't-Do-Liste zu* erstellen.

Der Inhalt einer „Don't-do"-Liste mag überraschend sein. Wir alle kennen die offensichtlichen Übel, die man vermeiden sollte, wenn man versucht, die Produktivität zu steigern: soziale Medien, im Internet surfen, *„Bachelorette"* schauen, während man versucht zu arbeiten, oder Flöte spielen lernen, während man liest.

Dies sind Aufgaben mit eindeutig null Nutzen für die Produktivität.

Sie müssen Ihre „Don't-do"-Liste mit Aufgaben füllen, die Ihnen schleichend Ihre Zeit stehlen und Ihre Ziele untergraben. Das sind Aufgaben, die unbedeutend sind oder Ihre Zeit schlecht nutzen, Aufgaben, die Ihnen unterm Strich nicht helfen, und Aufgaben, die einen schweren Fall von abnehmendem Ertrag darstellen, je mehr Sie an ihnen arbeiten. Sie sind *nutzlos*, aber es kann schwierig sein, zwischen echten Aufgaben und nutzlosen Aufgaben zu unterscheiden, und es wird einige schwere Überlegungen Ihrerseits erfordern.

Vielleicht können wir, wie bei den anderen Anti-Mental-Modellen, unsere Prioritäten eingrenzen, indem wir einfach das eliminieren, was nicht dazugehört. Das funktioniert gut, wenn man es mit der Eisenhower-Matrix aus einem früheren Kapitel kombiniert.

Es gibt ein paar Kategorien von Aufgaben, die auf die „Don't-do"-Liste gehören.

Erstens können Aufgaben zu den Prioritäten gehören, für die Sie aufgrund äußerer Umstände derzeit nichts tun können. Das sind Aufgaben, die in einer oder mehreren Hinsichten wichtig sind, aber auf Feedback von anderen warten oder darauf, dass darunterliegende Aufgaben zuerst erledigt werden. Setzen Sie diese auf Ihre „Nicht tun"-Liste, weil es buchstäblich nichts gibt, was Sie dafür tun können, so dass sie nur Ihre geistige Bandbreite behindern.

Diese Aufgaben werden immer noch da sein, wenn Sie von diesen anderen Personen eine Rückmeldung erhalten. Notieren Sie einfach, dass Sie auf eine Rückmeldung von jemand anderem warten und das Datum, an dem Sie nachfassen müssen, wenn Sie noch keine Rückmeldung erhalten haben. Dann schieben Sie diese Aufgaben aus Ihrem Kopf, denn sie stehen auf der To-Do-Liste von jemand anderem, nicht auf Ihrer.

Sie können auch vorübergehend Dinge von sich schieben, indem Sie sie mit anderen Personen abklären und ihnen Fragen stellen. Das bringt sie in Zugzwang, und Sie können die Zeit nutzen, um sich anderen Dingen zu widmen.

Zweitens: Nehmen Sie Aufgaben auf, die nach Ihren Prioritäten keinen Mehrwert bringen.

Es gibt viele kleine Posten, die nicht zu Ihrem Endergebnis beitragen, und oft sind dies triviale Dinge - Arbeitsaufwand. Können Sie diese delegieren, jemand anderem zuweisen oder sogar auslagern? Benötigen sie wirklich Ihre Zeit? Mit anderen Worten: Sind sie Ihre Zeit *wert*? Und wird jemand außer Ihnen den Unterschied bemerken, wenn Sie die Aufgabe an jemand anderen delegieren? Wenn Sie die Aufgabe selbst übernehmen, verheddern Sie sich dann im Unkraut des Perfektionismus? Diese Aufgaben sind nur verschwendete Bewegung um der Bewegung willen und sind im großen Ganzen nicht wirklich wichtig.

Sie sollten Ihre Zeit auf große Aufgaben verwenden, die ganze Projekte voranbringen, und nicht auf kurzsichtige, triviale Aufgaben.

Drittens sollten Sie Aufgaben einbeziehen, die aktuell und fortlaufend sind, aber nicht von zusätzlicher Arbeit oder Aufmerksamkeit profitieren. Diese Aufgaben leiden unter abnehmenden Erträgen.

Diese Aufgaben sind reine Energieverschwendung, weil sie zwar noch verbessert werden können (und gibt es irgendetwas, das nicht verbessert werden kann?), aber das Ausmaß der wahrscheinlichen Verbesserung wird entweder keinen Unterschied im Gesamtergebnis machen oder einen unverhältnismäßig hohen Zeit- und Arbeitsaufwand erfordern, ohne einen signifikanten Eindruck zu hinterlassen.

In jeder Hinsicht sollten diese Aufgaben als *erledigt* betrachtet werden. Verschwenden

Sie Ihre Zeit nicht mit ihnen und tappen Sie nicht in die Falle, sie als Priorität zu betrachten. Nur wenn Sie alles andere erledigt haben, können Sie sich überlegen, ob Sie noch Zeit mit dem Polieren von so etwas verbringen wollen.

Wenn die Aufgabe 90% der benötigten Qualität erreicht, ist es an der Zeit, sich umzuschauen, was sonst noch Ihre Aufmerksamkeit benötigt, um sie von 0% auf 90% zu bringen. Mit anderen Worten: Es ist viel hilfreicher, drei Aufgaben mit 80% Qualität zu erledigen als eine Aufgabe mit 100% Qualität.

Viertens und letztens: Dringende Aufgaben! Siehe MM #1.

Wenn Sie die Punkte auf Ihrer „Don't-do"-Liste bewusst vermeiden, halten Sie sich selbst fokussiert und stromlinienförmig. Sie verschwenden weder Energie noch Zeit, und Ihr täglicher Output wird sich dramatisch erhöhen.

Das wäre so, als würde man eine Speisekarte lesen, auf der Lebensmittel stehen, die nicht verfügbar sind. Es ist sinnlos. Indem Sie verhindern, dass Ihr Energielevel durch die Dinge, die Ihre Zeit und Aufmerksamkeit aufzehren, vergeudet wird, ermöglicht Ihnen eine „Don't-do"-Liste, sich zuerst um die wichtigen Dinge zu kümmern.

Je weniger Dinge an Ihrem Geist zerren, desto besser - die Art von Stress und Angst, die sie erzeugen, behindert oder tötet nur die Produktivität. Eine „Don't-do"-Liste befreit Ihren Geist von der Last, zu viele Eisen im Feuer zu haben, weil sie die meisten dieser Eisen eliminiert. Sie können sich auf die Eisen konzentrieren, die noch im Feuer sind, und jede einzelne nach und nach abhaken.

MM #23: Vermeiden Sie den Weg des geringsten Widerstands

Verwenden Sie dieses Modell, um mehr Selbstdisziplin und Willenskraft zu üben.

Zu oft werden wir auf den Weg des geringsten Widerstands gelockt. Vielleicht machen wir sogar mentale Verrenkungen, um uns selbst davon zu überzeugen, dass dieser Weg der richtige ist. In jedem Fall stecken wir auf einem Weg fest, der von unseren besten Interessen wegführt. Wir sind eine faule Spezies, die nicht mehr tun will als das, was im gegenwärtigen Moment notwendig ist. Vorhersehbarerweise kann das gegen uns arbeiten.

Bei diesem mentalen Modell geht es darum, das zu vermeiden, was zu einfach, zu leicht und zu gut erscheint, um wahr zu sein - denn das ist es wahrscheinlich, und Sie verpassen den Weg, den Sie stattdessen gehen sollten. Es gibt einen *einfachen* Weg und einen *richtigen* Weg - oft finden Sie sich schon auf dem richtigen Weg wieder, wenn Sie nur den Weg des geringsten Widerstands vermeiden. Suchen Sie den Widerstand; suchen Sie die Mühsal, und seien Sie sicher, dass Sie auf dem richtigen Weg sind. Die Chancen stehen gut, dass das Vermeiden von Schwierigkeiten Sie nur von dem wegführt, was Sie wollen.

Zum Beispiel wäre es das Richtige, ins Fitnessstudio zu gehen, während das Einfache wäre, zu Hause zu bleiben. Das Einfache wäre, gesunde Rezepte online zu recherchieren, und das Richtige wäre, zum Laden zu fahren und diese Zutaten zu kaufen. Was auch immer Sie tun, um Ihre Schuldgefühle zu lindern, ist nie das Richtige, und was auch immer am schwierigsten erscheint, wird die richtige Vorgehensweise sein.

Leider bedeutet das Richtige zu tun in der Regel, das Schwierige zu tun; tatsächlich sind sie fast immer genau das Gleiche, und das ist es, was dieses mentale Modell wirklich durchschaut. Wenn das, was Sie wollen, zu einfach zu erreichen scheint, fehlt Ihnen wahrscheinlich etwas. Es gibt einfach keine Abkürzungen zu den wirklichen Belohnungen im Leben, und man muss sich auf ein bisschen Widerstand einlassen. In gewissem Sinne sind leichte Dinge meist nur schwere Dinge, nur eben verkürzt.

Menschen driften auf den Weg des geringsten Widerstands ab, und zwar ganz unbewusst, von einer Übung weniger im Fitnessstudio bis hin einem weiteren Bissen Eiscreme, dem Aufzug statt der Treppe und der normalen Version statt der Diätversion von irgendetwas. Wir merken nicht einmal, dass es zwei Wege gibt, geschweige denn, dass wir den faulen Weg nehmen.

Hier ist also der Knackpunkt dieses mentalen Modells: Sie müssen in der Lage sein, bewusst zu beantworten, ob Sie *irgendwas* tun - oder das, was *richtig* ist. Auf welchem Weg befinden Sie sich?

Wenn Sie nicht selbstbewusst sagen können, dass Sie das Richtige tun, *tun Sie es nicht* - und dann sind Sie gezwungen, den Unterschied zwischen richtig und einfach zu vergleichen. Wenn Sie nicht das tun, was Sie tun sollten, dann ist alles andere aus Ihrem Mund eine Ausrede, schlicht und einfach. Alles, was nach dem Wort „aber..." oder „es ist anders, weil..." oder „nun ja..." kommt, ist die angeborene Erkenntnis, dass

Widerstand bevorsteht. Das ist eine gute Sache.

Anstatt um den heißen Brei herumzureden und Ihr Ego zu beschwichtigen, versuchen Sie, die beiden Wege, die Sie in Betracht ziehen, laut auszusprechen und Ihre Handlungen ehrlich in richtig oder einfach einzuordnen.

Sie haben eine Stunde freie Zeit. Laufen, um abzunehmen: richtige Sache. Training auslassen: leichte Sache. Training abkürzen: leichte Sache. Fahren, um Fast Food zu kaufen: leichte Sache. Sich zu einer bestimmten Portion Essen für das Mittagessen verpflichten: richtig. Sich einreden, dass der Fuß weh tut und man eine Pause verdient hat: wahrscheinlich die unehrliche, aber einfache Sache.

Und wenn Sie das Gefühl haben, dass Sie den einfachen Weg des geringsten Widerstands einschlagen, fragen Sie sich, was der ehrliche Grund dafür ist. Tipp: Es ist nicht „es ist zu heiß draußen" oder „es ist zu spät"; es ist tatsächlich „ich werde heute nicht laufen, weil ich faul bin und Probleme mit Selbstdisziplin und Engagement habe." Im Endeffekt werden Sie brutal ehrlich und konfrontativ mit sich selbst, was manchmal der einzige Weg ist, um eine Botschaft zu vermitteln.

Sie sollten immer antworten wollen, dass Sie das Richtige tun, und das wird häufig bedeuten, dass Sie sich ein wenig mehr anstrengen müssen. Aber wenn Sie es konsequent tun, zahlt sich diese zusätzliche Anstrengung aus. Zum Beispiel die Magie des Zinseszinses von Banksparbüchern. Winzige Entscheidungen über längere Zeiträume hinweg sind die Grundlage für wahren Erfolg und Fortschritt.

Das Richtige zu tun, mag sich im Moment wie der schwierigere Weg anfühlen, aber wenn Sie es konsequent tun, ist es der effizienteste Weg, um Ihre Ziele zu erreichen.

Diesem Kalkül liegt zugrunde, dass Sie tatsächlich wissen müssen, worauf Sie hinarbeiten - welche Handlungen sind für welches Ziel richtig? Nur wenn Sie das Endziel kennen, können Sie sagen, dass eine Handlung Sie weiter oder näher ans Ziel bringt. Der letzte Teil dieses mentalen Modells, wie Sie sicherstellen können, dass Sie den Weg des geringsten Widerstands vermeiden, funktioniert am besten, wenn Sie ein klares Ziel vor Augen haben. Wozu sonst der ganze Kampf und Widerstand?

Wenn Sie also das nächste Mal mit sich selbst zwischen dem Weg des geringsten Widerstandes und dem richtigen Weg kämpfen, halten Sie inne und fragen Sie sich, wie Sie sich in 10 Minuten, 10 Stunden und 10 Tagen fühlen werden.

Das mag nicht so mächtig erscheinen, aber es ist effektiv, weil es Sie zwingt, über Ihr zukünftiges Ich nachzudenken und zu sehen, wie Ihr aktueller Weg (welcher auch immer es ist) sich in der Zukunft auswirken wird - im Guten wie im Schlechten. Oftmals mögen wir bewusst der Versuchung des Weges des geringsten Widerstandes nachgeben, aber das ist nicht genug, um uns davon abzuhalten, weil wir keine

Verbindung zu den Konsequenzen haben. Das Denken in Begriffen von 10/10/10 schafft schnell diese Verbindung.

Warum Zeitintervalle von 10 Minuten, Stunden und Tagen? Weil es Ihnen zu erkennen hilft, wie kurzfristig das Vergnügen/der Komfort des Weges des geringsten Widerstandes im Verhältnis zu seinen langfristigen Konsequenzen ist. Nach 10 Minuten fühlen Sie sich vielleicht gut, vielleicht schleicht sich nur das erste bisschen Scham ein. Nach 10 Stunden werden Sie hauptsächlich Scham und Bedauern empfinden. Zehn Tage später werden Sie wahrscheinlich von Bedauern zerfressen sein, da Sie einige der negativen Konsequenzen erkannt haben, die Ihre Entscheidung oder Handlung auf die Verfolgung Ihrer langfristigen Ziele hatte. Sie haben nichts davon, und in manchen Fällen werden Sie sogar rückfällig.

Stellen Sie sich zum Beispiel vor, dass Sie diese Regel anwenden, wenn Sie entscheiden, ob Sie ein Training ausfallen lassen, um mit Kollegen essen zu gehen oder nicht. Wenn Sie gerade erst mit dem Training begonnen haben und es noch nicht zu einer festen Gewohnheit gemacht haben, könnte Ihre Entscheidung, ein einziges Training ausfallen zu lassen, die Wahrscheinlichkeit erhöhen, dass Sie zukünftige Trainingseinheiten auch ausfallen lassen oder ganz mit dem Training aufhören.

Wie werden Sie sich in 10 Minuten, Stunden und Tagen fühlen? Zehn Minuten - gut, mit einem leichten Anflug von Reue, denn Sie können die Lasagne oder das Eis immer noch schmecken. Der Genuss ist immer noch spürbar. Zehn Stunden - fast ausschließlich Bedauern, da das Vergnügen vorbei und flüchtig ist und Ihre Diät gründlich versaut wurde. Zehn Tage - 100% Bedauern, weil die gebrochene Disziplin nun völlig bedeutungslos und nur noch eine blasse Erinnerung ist. Die Lasagne hat keinen dauerhaften Nutzen, aber sie hat einen dauerhaften Preis. Zwischen Ihnen und dem, was Sie wollen liegt immer ein Widerstand.

Fazit:

- Wir können nicht anders; so wurden wir von Kindheit an indoktriniert. Natürlich ist das auch nicht unbedingt falsch. Ich spreche von unserem Drang, nach Errungenschaften zu greifen, anstatt negative Konsequenzen zu vermeiden. Wo es in anderen Kapiteln dieses Buches um Mentale Modelle geht, führen wir hier Anti-Mentale Modelle ein, um darzustellen, wie Sie genauso viel erreichen können, wenn Sie sich nur auf eine Sache konzentrieren: Vermeidung.

- Mentales Modell #19: Vermeiden Sie direkte Ziele. Direkte Ziele sind wie das Greifen nach den Sternen, während es bei Anti-Zielen, oder inversen Zielen, darum geht, den Absturz zu vermeiden und alles zu tun, um ihn zu verhindern. Die Chance, das gewünschte Ergebnis zu erreichen, ist genauso groß wie bei direkten Zielen, aber es könnte Sie schneller und effizienter ans Ziel bringen. Formulieren Sie einfach die Faktoren, die bei einem Worst-Case-Szenario eine Rolle spielen, und widmen

Sie dann Ihre Zeit der Vermeidung dieser Faktoren.

- Mentales Modell #20: Vermeiden Sie es, wie ein Experte zu denken. Experten denken über das große Ganze nach und können sich manchmal nicht mit kleinen Details beschäftigen. Kleine Details werden, kontraintuitiv, meist von Anfängern beachtet, weil sie neue Informationen aufnehmen und entsprechend langsam durch einen Prozess gehen. Wie ein Experte auf einem bestimmten Gebiet zu denken, bedeutet wahrscheinlich, dass Sie kleine Fehler machen, weil Sie anmaßend denken und sich auf die Gesamtwirkung und -konzeption konzentrieren.
- Mentales Modell #21: Vermeiden Sie Ihre Nicht-Genie-Zonen. Wir alle haben natürliche Vorteile in einigen Dingen, und obwohl wir hart arbeiten, werden wir in anderen Bereichen nie mehr als Mittelmaß sein. Erkennen Sie Ihre Stärken, und obwohl Sie nicht aufhören sollten, Ihre Schwächen zu verbessern, verstehen Sie, wo Sie den größten Einfluss haben werden.

- Mentales Modell #22: Vermeiden Sie To-Do-Listen. Machen Sie vielmehr „Don't-do"-Listen. Indem Sie eingrenzen, was Sie vermeiden sollten und was wirklich unwichtig ist, gewinnen Sie drastisch an Zeit. Das bedeutet, dass Sie weniger Stress und Ängste haben werden und genau wissen, was Ihre Prioritäten sind.

- Mentales Modell #23: Vermeiden Sie den Weg des geringsten Widerstands. Erscheint Ihnen irgendetwas zu einfach? Es ist zu schön, um wahr zu sein. Vermeiden Sie es. Suchen Sie den Widerstand, denn das ist ein Zeichen dafür, dass Sie auf dem richtigen Weg sind. Wir werden täglich vor zwei Entscheidungen gestellt: die einfache und die richtige. Normalerweise sind wir uns nicht einmal bewusst, dass wir eine Wahl haben, aber wenn Sie anfangen, Ihre Wahlmöglichkeiten ehrlich zu kategorisieren, werden Sie vielleicht entdecken, dass Ihr Instinkt, Widerstand zu vermeiden, Selbstsabotage ist.

Kapitel 5. Alte Schätze: Es gibt sie noch aus einem Grund!

An diesem Punkt des Buches haben Sie wahrscheinlich eine gute Vorstellung davon, wie man mentale Modelle verwendet. Sie sind Filter, die Sie sich in verschiedenen Situationen zunutze machen können, um sicherzustellen, dass Sie alles berücksichtigen und die bestmögliche Entscheidung treffen. Sie helfen Ihnen entweder in Bereichen oder Szenarien, mit denen Sie nicht vertraut sind oder die Sie verbessern können.

Die mentalen Modelle in diesem letzten Kapitel gehören nicht unbedingt zu einer dieser beiden Kategorien. Sie sind alle als *gleichnamige Gesetze* bekannt, was ein schicker Begriff ist, der einfach bedeutet, dass sie nach jemandem benannt wurden - in der Regel nach der Person, die die Beobachtung oder Entdeckung gemacht hat.

Darin unterscheiden sich diese Modelle auch - sie stammen eher aus Beobachtungen von Mustern, die im wirklichen Leben gefunden wurden, sowohl im Kleinen als auch im Großen. Aber es sind Lektionen darin enthalten, die Sie auf Ihr Leben übertragen können. Einige von ihnen mögen Ihnen bekannt vorkommen, aber schauen wir mal, ob sich die tatsächlichen Definitionen und Implikationen von den Fällen unterscheiden, in denen Sie sie bereits verwendet haben.

MM #24: Murphys Gesetz

Verwenden Sie dieses Modell, um sicherzustellen, dass nichts dem Zufall überlassen wird.

Manchmal stolpern wir auf unserem Weg zur Arbeit an dem einen Tag, an dem wir eine weiße Hose tragen. Dort setzen wir uns versehentlich auf einen schmutzigen Stuhl, und nun sind beide Seiten der weißen Hose schmutzig. Nach der Arbeit prallt uns ein Basketball auf die Seite; jetzt ist die Hose einfach von allen Seiten dreckig.

Haben Sie manchmal das Gefühl, dass alles schiefläuft und sich wie ein Wasserfall ein Schlamassel nach dem anderen über einen ergießt? Es kommt einem vor wie im schlechten Film, wie viel Pech man plötzlich haben kann. Willkommen im Gefühl von *Murphys Gesetz: Alles, was schief gehen kann, wird auch schief gehen.*

Wenn Sie ein Stück gebuttertes Toastbrot fallen lassen, wird es unweigerlich auf die gebutterte Seite fallen. Wenn Sie eine weiße Hose tragen, werden Sie unweigerlich dunkle Spritzer abbekommen. Wenn Sie gerade Ihr Auto gewaschen haben, wird sich ein Vogel auf der Motorhaube erleichtern. Wenn Sie gerade eine Diät gemacht haben, wird Ihr Lebensgefährte einen Käsekuchen mit nach Hause bringen, den er umsonst bekommen hat. Sie verstehen schon - Sie werden Sie sich in dem schlimmstmöglichen Szenario wiederfinden, auf das Sie sich gerade konzentrieren.

Meistens wird es im Scherz gesagt, um den Zufall zu verfluchen, und es gibt einige Permutationen bzw. Vertauschungen, die *bei jeder möglichen Anordnung* das gleiche Gefühl des *Unglücks* vermitteln. Dazu gehören die folgenden:

*   Murphys erstes Korollarium: Wenn man die Dinge sich selbst überlässt, neigen sie dazu, sich immer weiter zu verschlechtern.
    Jeder Versuch Ihrerseits, dies zu korrigieren, wird den Prozess nur beschleunigen.

*   Murphys zweites Korollarium: Es ist unmöglich, etwas narrensicher zu machen, weil Narren so erfinderisch sind.

*   Murphys Konstante: Materie wird in direktem Verhältnis zu ihrem Wert beschädigt.

- Quantisierte Revision von Murphys Gesetz: Alles geht auf einmal schief.

- Etorres Beobachtung: Die andere Linie bewegt sich immer schneller.

Sie haben es wahrscheinlich schon verstanden. Jede noch so kleine Möglichkeit, dass etwas schief gehen könnte, *wird* realisiert. Aber wie Sie später noch lesen werden, gibt es sehr praktische Anwendungen für Murphys Gesetz.

Murphys Gesetz ist ein relativ neues Konzept. Im Jahr 1928 schrieb ein Magier namens Adam Shirk, dass bei einem Zaubertrick neun von zehn Dingen, die schief gehen können, es auch tun. In das öffentliche Bewusstsein gelangte es ein paar Jahrzehnte später, 1949, durch einen Ingenieur der US-Luftwaffe namens Captain Edward Murphy.

Er war davon besessen, Flugzeuge zu entwerfen, und wie man sich denken kann, lief es im Allgemeinen nicht gut. Nach einer langen Reihe von fehlgeschlagenen Tests und Entwürfen verkündete er schließlich: „Wenn es zwei Möglichkeiten gibt, etwas zu tun, und eine dieser Möglichkeiten zu einer Katastrophe führt, wird es auf diese Weise getan." Dies fand schließlich seinen Weg zu seiner heutigen Form von „alles, was schief gehen kann, wird auch schief gehen", und wurde in der Folge zu einer Art Warnung unter den Ingenieuren und Designern der Air Force.

Schließlich kam ans Licht, dass die nahezu makellose Sicherheitsbilanz der Air Force auf ihren Glauben an Murphys Gesetz zurückzuführen war und dass sie deshalb Doppelprüfungen, Bestätigungen und rigorose Tests von Ausfallsicherungen und Redundanzen durchführt.

Und hier kommt der Teil des mentalen Modells von Murphys Gesetz ins Spiel. Es erinnert uns daran, dass so ziemlich alles dem Scheitern und dem Irrtum unterworfen ist. Manchmal stellt ein Misserfolg einen Zufall dar, der einfach nicht verhindert oder vorhergesagt werden konnte. Ein anderes Mal stellt ein Misserfolg eine systematische Reihe von Fehlern dar, bei denen das Scheitern unvermeidlich war.

Wie würde zum Beispiel Murphys Gesetz einen Fallschirmspringer beeinflussen? Ein Fallschirm ist eine ziemlich gute Idee für einen Fallschirmspringer. Einen zusätzlichen Fallschirm zu haben, ist eine noch bessere Idee. Und einen dritten zu haben, ist eine ebenso gute Idee.

Murphys Gesetz steckt hinter den Ausfallsicherungen, Backup-Plänen und Notfallplänen unserer Welt. Es erinnert uns daran, alles zweimal zu überprüfen, selbst wenn wir uns zu 99% sicher sind. Wie viel Prozent der Zeit funktioniert der Fallschirm eines Fallschirmspringers nicht? Es ist wahrscheinlich verschwindend gering, aber ich wette, Sie würden nicht mit einem Fallschirm aus einem Flugzeug springen, der nicht kürzlich überprüft wurde.

Sich auf Menschen zu verlassen, ist kein kluger Schachzug, denn Menschen sind im

Großen und Ganzen leichtsinnige Idioten - mich selbst absolut eingeschlossen.

Wenn Sie denken, dass alles nach Plan gelaufen ist, ist es das wahrscheinlich nicht. Das gilt für fast alle menschlichen Unternehmungen - von einem Kind, das einen Mathe-Test schreibt, über einen Elektriker, der einen Ofen repariert, einen Koch, der einen Hummer kocht, bis hin zu einem Raketenwissenschaftler, der ein Raumschiff ins All schießt. Wenn Sie Murphys Gesetz im Hinterkopf behalten, können Sie die Art und Weise, mit der Sie Gewissheit betrachten, drastisch verändern.

Was *sind* die kleinen Risse, in denen Murphys Gesetz greifen könnte? Was muss wirklich überprüft/bestätigt werden? Welchen Teil meines Plans (Rezept, Test, Aufgabe) hoffe ich im Stillen, dass er *gut genug* sein wird, um *durchzukommen*? Planen Sie für das Worst-Case-Szenario und versuchen Sie, ähnlich wie bei Anti-Mental-Modellen, das zu vermeiden, was Sie *nicht* wollen, anstatt auf das zu zielen, was Sie *wollen*.

Sie könnten damit durchkommen, aber das ist keine Denkweise, auf die Sie sich verlassen sollten.

MM #25: Ockhams Rasiermesser

Dieses Modell wird verwendet, um die Wahrscheinlichkeit von etwas zu bestimmen.

Wenn Sie behaupten, ein „fliegendes Wesen" am Himmel zu sehen, was glauben Sie, was das sein könnte?

A. Das Raumschiff der Echsenmenschen, die kommen, um ihren Planeten zurückzuerobern.

B. Uralte Überreste von denen, die die Pyramiden gebaut haben. Vielleicht die Eidechsenmenschen?

C. Die Wiederauferstehung von Zeus, dem König der antiken griechischen Götter des Olymps.

D. Keine der oben genannten Möglichkeiten.

Nun, es gibt viele zwingende Gründe für Sie, D zu wählen. Aber Ockhams Rasiermesser formuliert den stärksten Grund: Je einfacher, desto höher die Wahrscheinlichkeit der Wahrheit.

Wenn Sie nach Erklärungen für Ereignisse oder Situationen suchen, könnten Sie versuchen, sie mit einer Vielzahl von Ansätzen und Theorien zu analysieren - eine komplexer als die andere. Dies sind die Optionen A, B und C.

Diese Art von Brainstorming kann sich zwar auszahlen, ist aber nicht immer die beste Vorgehensweise, und zwar aus einem einfachen Grund: Je mehr Faktoren Sie haben, desto geringer ist die Wahrscheinlichkeit, dass die Erklärung richtig ist. Je weniger Faktoren also beteiligt sind, desto höher ist die Wahrscheinlichkeit, dass sie richtig ist.

Das ist der Kern des Ockhams Rasiermesser-Prinzips, das von dem Theologen und Philosophen William von Ockham (die Schreibweise hat sich im Laufe der Zeit geändert) aus dem 14. Jahrhundert vertreten wurde.

Ockhams Rasiermesser wurde ursprünglich als „Entitäten sollten nicht unnötig machen, Pluralität sollte
nicht ohne Notwendigkeit gesetzt werden" ausgedrückt - einfach gesagt, man sollte die Problemlösung nicht übermäßig verkomplizieren, indem man zu viele zusätzliche Hypothesen, Variablen oder fremde Faktoren einbringt. In Anlehnung an dieses ursprüngliche Prinzip wird Ockhams Rasiermesser in der heutigen Zeit oft als *„Die einfachste Erklärung ist in der Regel die richtige"* sowie als „Je mehr Annahmen man machen muss, desto unwahrscheinlicher ist die Erklärung" bezeichnet.

Deshalb ist die Antwort D richtig. Sie ist die einfachste Antwort mit den wenigsten beteiligten Variablen. Und somit ist sie die wahrscheinlichste Erklärung.

Ihr erster Instinkt ist seltsamerweise nicht, die einfachste Antwort mit den wenigsten Variablen zu wählen. Normalerweise entscheiden wir uns für die *verfügbarste*, *zugänglichste* oder *alarmierendste* Erklärung, die dazu neigt, das zu repräsentieren, was wir in einer Situation entweder sehen wollen oder absolut *nicht* sehen wollen.

Zum Beispiel wachen Sie an einem klaren Sommermorgen auf und stellen fest, dass Ihre Mülltonne in der Nacht umgekippt ist und Ihr Müll überall auf der Einfahrt liegt. Sie könnten mehrere verschiedene Theorien entwickeln, wie das passiert ist:

- Ihr Mülleimer wurde vom Blitz getroffen und ist umgefallen.

- Eine Jugendbande, die Unruhe und Chaos stiften will, hat sich an Ihrem Mülleimer ausgetobt.

- Eine außerirdische Spinne ist durch ein Wurmloch im Kosmos geschlüpft und hat Ihren Mülleimer auf der Suche nach einer Substanz durchwühlt, die sie zu ihrem Heimatplaneten zurückführen würde.

- Einer der Waschbären der Nachbarschaft hat auf der Suche nach Futter Ihre Mülltonne umgeworfen.

Nach Ockhams Rasiermesser ist die richtige Antwort wahrscheinlich die einfachste - diejenige, die keine Ansammlung unrealistischer Theorien oder mentaler Umwege zur Erklärung erfordert. Je weniger Variablen, desto besser - der Waschbär ist nur eine, und auch eine Variable, die zumindest eine gewisse Chance hat, real zu sein.

Bei den anderen drei Möglichkeiten müssten Sie ziemlich komplizierte Erklärungen abgeben. Jeder zusätzliche Faktor, den Sie hinzufügen, verringert die Gesamtwahrscheinlichkeit erheblich.

Wie kann es in einer klaren Sommernacht Blitze geben? Ist es wirklich wahrscheinlich, dass eine Bande ihren Kick bekommt, indem sie sich an den Mülltonnen der Leute zu schaffen macht? Sind außerirdische Spinnen wirklich so inkompetent, dass sie etwas aus Ihrem Müll brauchen?

Dieses spezielle Beispiel ist ein wenig übertrieben, aber das Ockhams Rasiermesser-Prinzip kann in alltäglichen Situationen angewendet werden, wenn wir versuchen, die Probleme rund um ein bestimmtes Ereignis zu entschlüsseln oder zu erklären. Je komplizierter oder verworrener die Erklärungen werden, desto unwahrscheinlicher ist es, dass sie der Wahrheit entsprechen. Das Leben ist nicht die Handlung des Films „*Inception*".

Dieses mentale Modell ermutigt uns, mit der einfachsten Erklärung zu *beginnen* und zusätzliche Faktoren vorsichtig und langsam hinzuzufügen, einen nach dem anderen. Ockhams Rasiermesser ist ein *Prinzip*, keine Regel. Manchmal wird die einfachste Antwort *nicht* die Wahrheit sein; es kann durchaus sein, dass es sich um etwas handelt, das eine Menge komplexer Faktoren hat. Nicht *jedes* komplizierte Szenario sollte abgelehnt werden. Außerdem ist eine einfache Antwort ohne Beweise oder Daten noch immer ungültig – es reicht nicht, dass etwas leicht zu verstehen ist, es muss auch durch Beweise gestützt werden.

Aber Ockhams Rasiermesser ist fast immer der beste Weg, um sich einem Problem zu *nähern*. Ziehen Sie die am leichtesten zu erklärende, einfachste und realistischste Interpretation eines bestimmten Ereignisses in Betracht und ziehen Sie kompliziertere Erklärungen nur dann in Betracht, wenn sie sinnvoll erscheinen. Übertriebene Ausarbeitung oder unnötige Elemente lenken Sie nur vom ursprünglichen Problem ab. Lassen Sie Ihren kreativen Instinkt nicht zu sehr spielen, wenn Sie versuchen, eine Situation zu verstehen - in den meisten Fällen ist die elementarste, grundlegende Lösung die genaueste.

MM #26: Hanlons Rasiermesser

Verwenden Sie dieses Modell, um Handlungen zu erklären, indem Sie anderen den Vorteil des Zweifels einräumen.

Obwohl die Welt komplex ist, funktioniert sie oft auf einfache und direkte Weise. Das untermauert Occams Rasiermesser, und

Hanlons Rasiermesser tut dasselbe auf eine etwas andere Art.

Dieses Prinzip wurde 1774 von Robert Hanlon beschrieben als *„Schreibe niemals der Bosheit zu, was durch Nachlässigkeit hinreichend erklärt werden kann."* Die modernste und am weitesten verbreitete Version lautet *„Schreibe niemals der Böswilligkeit zu, was sich durch Inkompetenz hinreichend erklären lässt"* und wird oft Napoleon Bonaparte zugeschrieben, obwohl der Autor Robert Heinlein einen starken Anspruch darauf erhebt.

Wie hängt das nun mit Ockhams Rasiermesser und der Vorliebe für einfache Erklärungen mit möglichst wenigen Variablen zusammen? Weil Annahmen über die Absichten und Motivationen von jemandem auf der Grundlage seiner Handlungen zu treffen, nun ja, eine ziemlich große Annahme ist. Die wahrscheinlichste Ursache für Böswilligkeit oder jede andere negative Absicht ist Nachlässigkeit oder Inkompetenz.

Mit anderen Worten, es ist einfacher für eine Person, etwas Negatives aus Nachlässigkeit oder Inkompetenz zu tun. Es würde noch ein paar weitere Schritte brauchen, um wirklich sagen zu können, dass Böswilligkeit die Ursache ist. Da wir keine Spezies mit übersinnlichen Kräften sind, werden wir die Absichten der Menschen nie kennen.

Dieses mentale Modell geht im Bereich der sozialen Interaktion von Einfachheit aus. Wenn Sie davon ausgehen, dass Menschen nur gut zu Ihnen sein wollen, hat das die Kraft, Ihre Beziehungen massiv zu verbessern.

Angenommen, Sie wollen im Supermarkt eine bestimmte Müslimarke, doch jemand, der einen Meter vor Ihnen steht, schnappt sich die letzte Schachtel. Sie fühlen sich frech und wütend genug, um denjenigen damit zu konfrontieren, und so meckern Sie ihn an: „Wissen Sie, wie gerne ich das wollte? Sie sind so rücksichtslos!" Derjenige dreht sich nicht einmal um. Später entdecken Sie, während Sie ihn in der

Kassenschlange beobachten, dass er gehörlos ist und Ihre Worte nicht gehört hat.

Stichwort „sich wie ein Narr fühlen". Sie haben gerade Angst und Wut in einer Situation erzeugt, in der das nicht nötig war. Sie hätten die Ruhe bewahren und die Dinge auf sich beruhen lassen können, aber das haben Sie nicht getan. Hanlons Rasiermesser zwingt Sie, Ihr gekränktes Ego aus einer Situation herauszunehmen und sie vor dem Hintergrund der besten Absichten aller Beteiligten zu analysieren. Menschen sind manchmal vergesslich und gedankenlos, auch Sie, aber das bedeutet normalerweise nicht das, was Sie denken. Empathie ist ein mentales Modell für sich.

Und doch bedeutet das nicht, dass wir weniger wachsam sein sollten. Wenn Sie dieses mentale Modell auf alles und jeden anwenden, erlangen Sie eine Art Blindheit gegenüber Bösartigkeit. Das ist gefährlich - die Person, die spät in der Nacht hinter Ihnen geht und Ihnen fünf Ecken weiter noch immer folgt, tut dies wahrscheinlich nicht aus Nachlässigkeit oder Inkompetenz.

MM #27: Das Pareto-Prinzip

Verwenden Sie dieses Modell, um herauszufinden, wo Ihre Zeit und Ressourcen die größte Wirkung erzielen.

Ich kann mich noch genau daran erinnern, als ich anfing, mehr und mehr zu schreiben. Ich verbrachte viel Zeit damit, mich mit Dingen zu beschäftigen, die letztlich unwichtig waren, auch wenn ich das damals nicht wusste. Das kann leicht in Perfektionismus und Analyselähmung münden, und ich war da keine Ausnahme.

Weil ich mich unglaublich involviert fühlte und so viel Wert wie möglich vermitteln wollte, verbrachte ich unmäßig viel Zeit mit kleinen Änderungen und Bearbeitungen, die niemand außer mir jemals bemerken würde. Ich nehme an, mein Herz war am rechten Fleck, aber das ist nicht das, was ein Unternehmen erfolgreich macht.

Die allgemeine Botschaft und die Effektivität waren weitgehend die gleichen, aber ich überarbeitete Sätze immer wieder, bis ich mit ihnen zufrieden war. Folglich hat es fast ein Jahr gedauert, mein erstes Buch zu schreiben und zu bearbeiten. Das soll nicht heißen, dass Qualitätskontrolle nicht wichtig ist. Ich habe jedoch erkannt, dass es keinen Sinn hat, mir über jedes Wort in einem Buch den Kopf zu zerbrechen, vor allem, wenn sich die Gesamtaussage und die Effektivität nicht ändern oder verbessern lassen. Worauf kommt es bei einem Buch überhaupt an? In der Belletristik sind es die Handlung und die Charaktere. In Sachbüchern sind es klare Lektionen. Auf jeden Fall ist es nicht das, worauf ich meine ganze Zeit verwendet habe. In jedem Bereich machen nur ein paar Dinge wirklich den Unterschied aus, und an allen winzigen Dingen herumzubasteln ist in der Regel ein sinnloses Unterfangen.

Der Hauptgrund dafür ist die *80/20-Regel*, auch bekannt als *das Pareto-Prinzip*, unser gleichnamiges Gesetz, das zu einem mentalen Modell geworden ist.

Das Pareto-Prinzip wurde nach einem italienischen Wirtschaftswissenschaftler benannt, der treffend feststellte, dass 80% der Immobilien in Italien im Besitz von nur 20% der Bevölkerung waren. Er begann sich zu fragen, ob die gleiche Art der Verteilung auch für andere Bereiche des Lebens gilt. In der Tat hatte er recht.

Das Pareto-Prinzip gilt für alles, was die menschliche Erfahrung betrifft: unsere Arbeit, Beziehungen, Karriere, Noten, Hobbys und Interessen. Die meisten Dinge folgen einer Pareto-Verteilung, bei der es ein ziemlich ungleichmäßiges Verhältnis zwischen Input und Output gibt. Es geht darum, das beste Ergebnis für Ihren Aufwand zu finden.

- 80% der Ergebnisse, die Sie von einer Aufgabe erwarten, werden durch 20% Ihrer Aktivitäten und Bemühungen, die darauf gerichtet sind, erzielt.
- 20% der Aufgaben dienen dazu, 80% des Gewinns zu erzielen.

- 80% des Glücks, das Sie erhalten, wird von 20% der Ansichten kommen.
- 20% der Aufgaben machen 80% des Projekterfolgs aus.
- 80% Ihrer Probleme im Leben werden von 20% der gleichen Personen verursacht.
- 20% Ihrer Garderobe werden zu 80% getragen.

In gewisser Weise ist dies mit einem mentalen Modell aus einem früheren Kapitel über abnehmende Erträge verknüpft. Je mehr über 20% Sie für etwas ausgeben, desto weiter sinkt der Ertrag. Wenn Sie also kein extrem klares Ziel haben, etwas auf optimale Leistung oder Effizienz zu bringen, sollten Sie sich nur auf diese speziellen 20% konzentrieren und nicht auf die anderen 80% der Aufgaben.

Dieses mentale Modell hat eine einfache Aussage und Lektion: Identifizieren Sie die 20% Input, die die 80% Output in einem Bereich erzeugen, den Sie verbessern wollen, und konzentrieren Sie sich darauf. Versuchen Sie nicht, alles auf einmal zu tun;

konzentrieren Sie sich nur auf das, was tatsächlich den Ausschlag gibt und mehr von dem Ergebnis erzeugt, das Sie wollen.

Wenn Sie sich zum Beispiel das Ziel setzen, abzunehmen, werden Sie 80% des Gewichts verlieren, wenn Sie nur 20% der Maßnahmen ergreifen, von denen Sie glauben, dass Sie sie ergreifen sollten, wie z. B. mehr Wasser zu trinken, um Hungergefühle zu bekämpfen und dreimal pro Woche ins Fitnessstudio zu gehen. Alles andere, wie das Zählen jeder einzelnen Kalorie, das Herumschleppen von Tupperware mit Brokkoli und Hühnchen, Crash-Diäten, das Abschwitzen in der Sauna - das sind die 80% Aufwand, die nur 20% der Ergebnisse bringen. Konzentrieren Sie sich also darauf, diese 20% so gut wie möglich zu tun, und ignorieren Sie den Rest. Es ist ziemlich sinnlos, sich mit diesen 80% zu beschäftigen, es sei denn, Sie wollen ein Fitnessmodel werden.

Wenn Ihr Unternehmen eine Reihe von Produkten verkauft, aber 80% des Umsatzes aus einer kleinen Teilmenge von

Produkten mit dem Thema Micky Maus stammt, was denken Sie, was Sie tun sollten? Wahrscheinlich die anderen Produkte fallen lassen und mit den Micky-Maus-Produkte expandieren.

Aufgaben, von denen Sie denken, dass sie einen Unterschied machen, tun es in Wirklichkeit nicht - nicht für Ihr Resultat, nicht für Ihr Endergebnis und nicht für die Menschen, von denen Sie ein Urteil fürchten. Diese Aufgaben laufen auf Trivialitäten hinaus, ähnlich wie das, was wir bald in MM #30 behandeln werden. Es geht nicht darum, an Kleinigkeiten zu sparen, sondern darum, die Effizienz zu maximieren.

Die Anwendung ist ganz klar in Arbeits- und Produktivitätskontexten. Wenn es um allgemeinen Lebensgenuss durch Aktivitäten oder Beziehungen geht, funktioniert es genauso; Sie müssen nur „wie man mit *weniger* Arbeit *mehr* Geld verdient" durch „wie man mit *weniger* Arbeit *glücklicher* wird" ersetzen. „Dies lässt sich auf alles übertragen; 20% Ihrer

Beziehungen werden 80% Ihres Glücks erzeugen, und 80% Ihres Vergnügens wird durch 20% Ihrer Hobbys verursacht.

Das Pareto-Prinzip ist ein mentales Modell, das die Effizienz und das größte Verhältnis von Input zu Output fördert. Was sind die Aufgaben, die die größte Wirkung haben, unabhängig von Details oder Fertigstellung? Erledigen Sie diese zuallererst - sie könnten für Ihre Zwecke ausreichend sein. Seien Sie ergebnisorientiert und verstricken Sie sich nicht in unwichtige Dinge.

MM #28: Störungsgesetz

Seien Sie kritischer und schützen Sie Ihre geistigen Ressourcen.

Ursprünglich „Sturgeons Gesetz" genannt, wurde dieser Leitfaden vom Science-Fiction-Autor Theodore Sturgeon (1918-1985) ins Leben gerufen.

In einer Kolumne aus dem Jahr 1958 verteidigte er sein gewähltes Genre, da die Science Fiction zu dieser Zeit noch nicht ganz über ihren Ruf als bloße Pulp Fiction hinausgekommen war. Sturgeon war der Meinung, dass die Kritiker ihre Meinung über Science Fiction auf deren schlechteste Beispiele stützten. „Wenn man die gleichen Maßstäbe anlegt, dass 90% der Science Fiction Müll, Schund oder Mist ist, kann man behaupten, dass auch 90% des Films, der Literatur, der Konsumgüter usw. Mist sind."

Und so wurde das Sturgeons Gesetz geboren: *„90% von allem ist Mist."*

Die Maxime hat sich verselbständigt, nachdem Sturgeon sie zur Beschreibung von Kunst und Produkten verwendet hat. Das bedeutete, dass der Großteil dessen, was wir konsumieren, lesen, sehen oder rezensieren, Mist ist, und dass wir deshalb viel weniger Zeit damit verbringen sollten, uns damit zu beschäftigen oder es überhaupt zu betrachten. Stattdessen sollten wir uns auf die 10% konzentrieren, die sinnvoll und aufschlussreich sind oder uns in irgendeiner Weise nützen.

Sturgeons Gesetz ist im Grunde eine buntere, restriktivere Version des Pareto-

Prinzips. Und genau wie das Pareto-Prinzip lässt es sich auf so ziemlich jeden Aspekt des Lebens anwenden. Sturgeons Gesetz setzt nur einen noch höheren Standard für uns, den wir anstreben sollten.

Für die Zwecke unserer Diskussion bedeutet Sturgeons Gesetz, dass die überwiegende Mehrheit der Informationen von geringer Qualität ist. Man könnte sogar sagen, dass 90% dessen, worüber wir täglich *nachdenken*, nicht die Zeit wert ist. Und das stimmt bis zu einem gewissen Grad auch. Unsere Gehirne stellen jeden Tag eine Million neuronaler Verbindungen her - die meisten davon sind sicherlich nicht notwendig oder überhaupt nützlich.

Bei klarem Denken funktioniert das Sturgeons Gesetz auf zweierlei Weise. Erstens sollten wir bedenken, dass ein Großteil der Informationen, die wir zur Beurteilung von etwas heranziehen könnten, unwesentlich, schlecht konstruiert, unbedeutend oder einfach nur falsch ist. Zweitens sollten wir uns nicht zu sehr damit aufhalten, wie schrecklich diese Teile sind; vielmehr sollten wir uns auf die

Denkweisen und Prozesse konzentrieren, die gut sind.

Wenn wir versuchen, ein Problem zu lösen oder etwas zu verstehen, sollten wir uns daher auf die wichtigsten Komponenten oder die zuverlässigsten, beweisbaren Informationen konzentrieren. Verschwenden Sie Ihre Energie nicht auf die häufigsten Fehler oder die am meisten in Verruf geratenen Elemente. Sturgeons Gesetz besagt, dass ihre geringe Qualität sie unwichtig macht, also sind sie entbehrlich. Und wie auch Ockhams Rasiermesser nahelegt, wird eine zu große Aufmerksamkeit für das Unwesentliche das wesentliche Denken nur aus der Bahn werfen.

Es gibt natürlich ein paar Vorbehalte gegen Sturgeons Gesetz. Die Maßstäbe eines jeden sind relativ, und einige Dinge, die wir persönlich als Mist betrachten, sind für jemand anderen Gold. Auch das Verhältnis kann variieren: In bestimmten Fällen gibt es für Sie vielleicht nur 75% Mist. Oder innerhalb dieser 10% Nicht-Mist wird nicht alles absolut großartig sein. Einiges davon ist nur geringfügig besser als Mist.

Aber als eine Möglichkeit, das eigene Denken zu klären und zu straffen und der Tendenz unseres Verstandes, in belanglose oder irrelevante Richtungen abzuschweifen, entgegenzuwirken, ist Sturgeons Gesetz definitiv nicht der schlechteste Ansatz, den Sie verfolgen können. Finden Sie die besten 10% und arbeiten Sie sich von dort aus vor. Letztendlich predigt dieses mentale Modell, selektiv mit Ihrer Zeit und Energie umzugehen und ständig skeptisch zu sein, was Sie in Ihr Leben lassen.

MM #29-30: Parkinsonsche Gesetze

Verwenden Sie dieses Modell, um mit dem Prokrastinieren aufzuhören und mehr in kürzerer Zeit zu erledigen.

Der britische Historiker Cyril Parkinson war ein Mann mit vielen Talenten, aber für die Zwecke dieses mentalen Modells konzentrieren wir uns auf die beiden gleichnamigen Gesetze, die schließlich nach

ihm benannt wurden und die beide mit
Produktivität zu tun haben.

Das erste dieser Gesetze wird
Parkinsonsches Gesetz der Trivialität
genannt, auch bekannt als
Fahrradschuppen-Effekt. Die Geschichte
hinter dem Gesetz ist, dass es ein Komitee
gab, das mit dem Entwurf eines
Kernkraftwerks beauftragt war. Dies war
offensichtlich ein großes Unterfangen, so
dass die Sicherheitsmechanismen und die
Auswirkungen auf die Umwelt beim Bau
eines neuen Kernkraftwerks mit
angemessener Sorgfalt behandelt werden
mussten.

Das Komitee traf sich regelmäßig und
konnte die meisten Sicherheits- und
Umweltbedenken ausräumen. Es konnte
sogar dafür sorgen, dass das Kernkraftwerk
eine ansprechende Ästhetik hatte, das
sicherlich die besten Ingenieure anziehen
würde.

Als sich das Komitee jedoch traf, um die
verbleibenden Fragen zu behandeln,

tauchte vor allem ein Thema immer wieder auf: die Gestaltung des Fahrradschuppens für Mitarbeiter, die mit dem Fahrrad zur Arbeit kamen.

Dazu gehörten die Farbe, die Beschilderung, die verwendeten Materialien und die Art der Fahrradständer. Das Komitee konnte nicht über diese Details hinwegsehen - Details, die im größeren Rahmen eines funktionierenden Kernkraftwerks bedeutungslos waren. Sie kamen immer wieder zurück auf kleine, triviale Merkmale, die eine Frage der Meinung und Subjektivität waren.

Parkinson fasste das Fahrradschuppen-Fiasko folgendermaßen zusammen: „Die Zeit, die für einen Tagesordnungspunkt aufgewendet wird, steht in umgekehrtem Verhältnis zur Summe [des Geldes], um die es geht.“

Darin liegt die Essenz des Parkinsonsches Gesetz der Trivialität. Menschen neigen dazu, zu viel nachzudenken und sich auf kleine Details zu fixieren, die im großen

Rahmen einer Aufgabe keine Rolle spielen, und sie tun dies zum Nachteil größerer Problemlösungen, die unendlich viel wichtiger sind. Menschen verwenden unbewusst unverhältnismäßig viel Zeit und Aufmerksamkeit auf Trivialitäten; und zwar sind das die Aufgaben, bei denen man sich, wenn man einen Schritt zurücktritt und sie bewertet, fragen muss: *„Wen interessiert das schon?"*

Dies ist der klassische Fall, bei dem man den Wald vor lauter Bäumen nicht sieht (erinnern Sie sich an ein anderes mentales Modell von weiter oben im Buch?) und sich unwissentlich von der Ziellinie fernhält. Es gibt zwei Hauptgründe für dieses Phänomen.

Der erste Grund ist Prokrastination und Vermeidung. Wenn Menschen eine Angelegenheit prokrastinieren wollen, versuchen sie oft, produktiv zu bleiben, indem sie etwas tun, das als produktiv wahrgenommen wird. Triviale Details sind immer noch Details, um die man sich irgendwann kümmern muss, und es sind

Dinge, an denen wir endlos herumschrauben können. Es gibt uns das Gefühl, dass wir etwas tun, anstatt das Leben eines Stubenhockers zu fristen.

Das ist der Grund, warum wir putzen, wenn wir die Arbeit aufschieben. Wir vermeiden unbewusst die eigentliche Aufgabe, aber wir fühlen uns besser, wenn wir denken: *„Wenigstens etwas Produktives wurde getan! "*

Die Fixierung auf das Triviale ist das Äquivalent zum Putzen des Badezimmers, um Arbeit zu vermeiden. Wir sind zwar in gewisser Weise produktiv, aber nicht in einer Weise, die unserem Gesamtziel dient. Das ist der Grund, warum die Mitglieder des Komitees, als sie nicht wussten, wie sie all die anderen Probleme angehen sollten, auf etwas zurückgriffen, das sie theoretisch lösen *konnten*: einen Fahrradschuppen.

Triviale Aufgaben müssen irgendwann angegangen werden, aber Sie müssen abschätzen, wann Sie sie tatsächlich angehen sollten. Trivialität kann sich leicht als Placebo für echte Produktivität in unser Leben schleichen.

Zweitens, und das bezieht sich mehr auf Gruppensituationen, kann das Gesetz der Trivialität das Ergebnis von Einzelpersonen sein, die auf jede erdenkliche Art und Weise beitragen wollen, sich aber nur in der Lage sehen, dies in den trivialsten Angelegenheiten zu tun. Sie sind im Komitee, aber sie haben nicht das Wissen oder die Erfahrung, um zu wichtigeren Themen beizutragen.

Doch jeder kann sich einen billigen, einfachen Fahrradschuppen vorstellen, so dass die Planung eines solchen zu endlosen Diskussionen führen kann, weil sich jeder daran beteiligen, seinen Beitrag leisten und seine Intelligenz demonstrieren möchte. Das ist völlig eigennützig.

Der wichtigste und einzige Grund, Meetings einzuberufen, ist die Lösung großer Probleme, die den Beitrag mehrerer Personen erfordern. Leute in einen Raum zu sperren und sie brainstormen zu lassen, ist eine ziemlich bewährte Methode, um Dinge zu erledigen – aber nur, wenn Sie eine Agenda haben, an die Sie sich halten. Alles andere sollte unabhängig voneinander angegangen werden, sonst sinkt das Niveau der Diskussion unweigerlich auf den kleinsten gemeinsamen Nenner im Raum.

Wenn jemand anfängt, über etwas zu reden, das nicht auf der Tagesordnung steht, wissen Sie, dass Trivialität vor Ihrer Tür steht. Wenn sich jemand über einen winzigen Aspekt eines größeren Projekts den Kopf zerbricht, ist die Trivialität bereits im Raum. Wenn Sie sich plötzlich gezwungen sehen, Ihre Schublade zu ordnen, während Sie an einem besonders schwierigen Thema arbeiten, hat sich die Trivialität bequem eingenistet.

Wenn Sie sich in kleine Aufgaben vertiefen, die vielleicht nicht optimiert werden müssen oder keinen Einfluss auf Ihr Gesamtziel haben, ist es an der Zeit, eine Pause einzulegen und Ihre Energien aufzuladen, anstatt so zu tun, als ob Sie produktiv wären.

Der Schlüssel zur Nutzung dieses mentalen Modells und zur Bekämpfung von Trivialität ist dreifach: (1) Führen Sie eine strikte Agenda, sei es eine Aufgabenliste, ein Kalender oder eine andere Technik, damit Sie wissen, worauf Sie sich konzentrieren und was Sie ignorieren sollten; (2) definieren Sie Ihre allgemeinen Ziele für den Tag. Dann fragen Sie sich ständig, ob Sie ihnen durch das, was Sie tun, näher kommen oder nicht; und (3) entwickeln Sie ein Bewusstsein dafür, wann Sie anfangen, Energie zu vergeuden, damit Sie Trivialitäten vorbeugen können.

Wissen ist die halbe Miete, wenn es darum geht, das Parkinsonsche Gesetz der Trivialität zu besiegen.

Parkinsons anderes Gesetz ist einfach als *Parkinsons Gesetz* bekannt, und es ist wohl auch bekannter. Eines der Dinge, die Menschen, die viel prokrastinieren, zur Rechtfertigung sagen könnten, ist, dass sie unter Zeitdruck besser arbeiten: „Ich arbeite am besten mit einer Deadline!"

Das Parkinsonsche Gesetz besagt, dass sich die *Arbeit so ausdehnt, dass sie die für ihre Fertigstellung zur Verfügung stehende Zeit ausfüllt.* Welche Deadline Sie sich auch immer geben, ob groß oder klein, so lange werden Sie brauchen, um die Arbeit fertigzustellen. Wenn Sie sich eine lockere Deadline geben, vermeiden Sie es, diszipliniert zu sein; wenn Sie sich eine straffe Deadline geben, werden Sie auf Ihre Selbstdisziplin zurückgreifen.

Parkinson beobachtete, dass mit zunehmender Ausdehnung von Bürokratien deren Effizienz eher ab- als zunahm. Je mehr Raum und Zeit den Menschen gegeben wurde, desto mehr nahmen sie sie in Anspruch - etwas, von dem er erkannte, dass es auch auf eine Vielzahl anderer Umstände anwendbar war. Somit wurde die allgemeine Form des Gesetzes, dass die Vergrößerung von etwas seine Effizienz verringert.

Im Zusammenhang mit Fokus und Zeit stellte Parkinson fest, dass einfache

Aufgaben zunehmend komplexer werden, um die für ihre Erledigung vorgesehene Zeit zu füllen. Die Verringerung der verfügbaren Zeit für die Erledigung einer Aufgabe führte dazu, dass diese Aufgabe einfacher und leichter wurde und schneller erledigt werden konnte.

Aufbauend auf Parkinsons Gesetz fand eine Studie mit College-Studenten heraus, dass diejenigen, die sich selbst strenge Fristen für die Erledigung von Aufgaben auferlegten, durchweg bessere Leistungen erbrachten als diejenigen, die sich selbst eine übermäßig viel Zeit gaben und diejenigen, die sich überhaupt keine Grenzen setzten. Warum?

Die Beschränkungen, die sie sich für ihre Arbeit gesetzt hatten, bewirkten, dass sie viel effizienter waren als ihre Kollegen. Sie verbrachten nicht viel Zeit damit, sich über die Aufgaben Gedanken zu machen, weil sie sich nicht die Zeit gaben, sich zu verzetteln. Sie machten sich an die Arbeit, erledigten die Projekte und hakten das Thema ab. Sie hatten auch keine Zeit, über das nachzudenken, was letztlich unwichtig war - eine sehr häufige Art der subtilen Prokrastination. Sie waren in der Lage, sich unbewusst nur auf die Elemente zu konzentrieren, die für die Erledigung der Aufgabe wichtig waren.

Nur sehr wenige Menschen werden von Ihnen verlangen oder Sie gar bitten, weniger zu arbeiten. Wenn Sie also produktiver und effizienter sein wollen, müssen Sie selbst vermeiden, dem Parkinsonschen Gesetz zum Opfer zu fallen, indem Sie die Zeit, die Sie sich für die Erledigung von Aufgaben geben, künstlich begrenzen. Indem Sie sich einfach Zeitlimits und Deadlines für Ihre Arbeit setzen, zwingen Sie sich dazu, sich auf die entscheidenden Elemente der Aufgabe zu konzentrieren. Sie machen die Dinge dann nicht komplexer oder schwieriger als sie sein müssen, nur um die Zeit zu füllen.

Nehmen wir an, Ihr Vorgesetzter gibt Ihnen eine Kalkulationstabelle und bittet Sie, bis zum Ende der Woche ein paar Diagramme daraus zu erstellen. Die Aufgabe könnte eine Stunde dauern. Aber nachdem Sie die Tabelle durchgesehen haben, stellen Sie fest, dass sie unorganisiert und schwer zu lesen ist, also beginnen Sie, sie zu bearbeiten. Dies dauert eine ganze Woche, aber die Tabellen, die Sie eigentlich erstellen sollten, hätten nur eine Stunde gedauert. Hätte man Ihnen die Frist von einem Tag gegeben, hätten Sie sich einfach auf die Diagramme konzentriert und alles Unwichtige ignoriert. Wenn uns der Raum gegeben wird, wie es das Parkinsonsche Gesetz beschreibt, dehnen wir unsere Arbeit aus, um die Zeit zu füllen.

Setzen Sie sich aggressive Deadlines, so dass Sie sich tatsächlich regelmäßig selbst herausfordern, und Sie werden diese Falle vermeiden. Ein weit entfernter Abgabetermin bedeutet in der Regel auch ein anhaltendes Maß an Stress im Hintergrund - drängen Sie sich selbst dazu, früher fertig zu werden und den Kopf freizubekommen. Sparen Sie Ihre Zeit, indem Sie sich weniger Zeit geben.

Fazit:

- Mentales Modell #24: Murphys Gesetz: Alles, was schiefgehen kann, wird auch schiefgehen, also sorgen Sie dafür, dass es nicht die Gelegenheit dazu bekommt. Verlassen Sie sich nicht darauf, dass Sie gerade so über die Runden kommen; sorgen Sie dafür, dass Sie so ausfallsicher wie möglich sind.
- Mentales Modell #25: Ockhams Rasiermesser: Die einfachste Erklärung mit den wenigsten Variablen ist am wahrscheinlichsten die richtige. Unser Instinkt möchte die mental am einfachsten verfügbare Erklärung wählen, was jedoch mehr darüber aussagt, was wir sehen oder nicht sehen *wollen*.
- Mentales Modell #26: Hanlons Rasiermesser: Böswillige Handlungen lassen sich viel eher durch Inkompetenz, Dummheit oder Nachlässigkeit erklären; Annahmen über böse Absichten einer Person sind wahrscheinlich falsch. Verbessern Sie Ihre Beziehungen, indem Sie den Vorteil des Zweifels gewähren

und im schlimmsten Fall von Zerstreutheit ausgehen.

- Mentales Modell Nr. 27: Pareto-Prinzip: Es gibt eine natürliche Verteilung, die dazu neigt, dass 20% der Aktionen, die wir durchführen, für 80% der Ergebnisse verantwortlich sind; daher sollten wir uns auf diese 20% konzentrieren, um ein maximales Input-Output-Verhältnis zu erzielen. Es geht darum, ergebnisorientiert zu werden und einfach dem zu folgen, was die Daten bestätigen. Es geht nicht darum, an allen Ecken und Enden zu sparen, sondern darum, zu verstehen, was eine Auswirkung verursacht.
- Mentales Modell #28: Sturgeons Gesetz: 90% von allem ist Mist, also seien Sie selektiv mit Ihrer Zeit und Energie. Beginnen Sie mit den 10% absoluten Nicht-Mist und arbeiten Sie sich langsam dort heraus. Dies ist in gewisser Weise eine restriktivere Version des Pareto-Prinzips.
- Mentales Modell #29-30: Die Parkinsonschen Gesetze: Erstens: Trivialität kann sich leicht einstellen,

weil es angenehm ist, sich produktiv zu fühlen (selbst in kleinsten Dingen) und seine Meinung zu äußern. Kennen Sie Ihre wirklichen Prioritäten und fragen Sie sich, ob tatsächlich Fortschritte in Richtung dieser Prioritäten gemacht werden. Zweitens dehnt sich die Arbeit aus, um die ihr zugestandene Zeit zu füllen, also kürzen Sie diese Zeit. Der Wunsch, in einem entspannten Tempo zu arbeiten, führt oft nur zur Selbstsabotage.

Zusammenfassung

- Mentale Modelle sind Blaupausen, die wir in verschiedenen Kontexten verwenden können, um der Welt einen Sinn zu geben, Informationen richtig zu interpretieren und unseren Kontext zu verstehen. Sie liefern uns vorhersagbare Ergebnisse. Ein Kochrezept ist die einfachste Form eines mentalen Modells; jede Zutat hat ihre Rolle, ihre Zeit und ihren Ort. Ein Rezept ist jedoch nicht auf alles außerhalb des Bereichs der Lebensmittel anwendbar. Daher befinden wir uns in einer Position, in der wir eine breite Palette von mentalen Modellen (oder ein Gitterwerk, wie Charlie Munger es ausdrückt) erlernen wollen, um uns auf alles vorzubereiten, was auf uns zukommen mag. Wir können nicht für jedes einzelne Szenario ein Modell lernen, aber wir *können* allgemein anwendbare finden. In diesem Kapitel beginnen wir mit mentalen Modellen für intelligentere und schnellere Entscheidungen.

- Mentales Modell 1: „Wichtig" beachten; „Dringend" ignorieren. Das sind völlig unterschiedliche Dinge, die wir oft miteinander vermischen. Wichtig ist das, was *wirklich* wichtig ist, auch wenn die Auszahlung oder die Frist nicht so unmittelbar ist. Dringend bezieht sich nur auf die Schnelligkeit der Reaktion, die gewünscht ist. Sie können ganz einfach die Eisenhower-Matrix verwenden, um Ihre Prioritäten zu klären und dringende Aufgaben zu ignorieren, es sei denn, sie sind zufällig auch wichtig.

- Mentales Modell #2: Visualisieren Sie alle Dominosteine. Wir sind eine kurzsichtige Spezies. Wir denken nur einen Schritt voraus, was die Konsequenzen angeht, und dann beschränken wir uns typischerweise nur auf unsere eigenen Konsequenzen. Wir müssen in der zweiten Ordnung denken und alle Dominosteine, die fallen könnten, visualisieren. Ohne dies kann man keine gut informierte Entscheidung treffen.

- Mentales Modell #3: Treffen Sie umkehrbare Entscheidungen. Die meisten sind es; einige sind es nicht. Aber wir tun uns keinen Gefallen, wenn wir davon ausgehen, dass alle Entscheidungen endgültig sind, denn das hält uns viel zu lange in der Unentschlossenheit. Schaffen Sie einen Handlungsvorteil für umkehrbare Entscheidungen, denn es gibt nichts zu verlieren und nur Informationen und Geschwindigkeit zu gewinnen.

- Mentales Modell Nr. 4: Streben Sie nach „Satisfiction". Dies ist eine Mischung aus „satisfy" und „suffice" und zielt darauf ab, Entscheidungen zu treffen, die gut genug und angemessen sind und ihren Zweck erfüllen. Dies steht in krassem Gegensatz zu denjenigen, die ihre Entscheidungen mit „nur für den Fall" und „das klingt nett"-Extras maximieren wollen. Diejenigen, die maximieren, sind auf der Suche nach einer perfekten Entscheidung. Diese gibt es nicht, also bleiben sie in der Regel einfach stehen.

- Mentales Modell #5: Bleiben Sie in einem Rahmen von 40-70%. Dies ist die Regel von Colin Powell. Treffen Sie eine Entscheidung mit nicht weniger als 40% der Informationen, die Sie benötigen, aber nicht mehr als 70%. Alles darunter bedeutet, dass Sie nur raten; alles darüber hinaus bedeutet Zeitverschwendung. Sie können „Informationen" durch so ziemlich alles ersetzen, und Sie werden erkennen, dass es bei diesem mentalen Modell darum geht, schnelle, aber fundierte Entscheidungen zu fördern.

- Mentales Modell Nr. 6: Bedauern minimieren. Jeff Bezos entwickelte das so genannte „Regret Minimization Framework". Darin visualisiert er sich selbst im Alter von 80 Jahren und fragt sich, ob er es bereuen würde, eine Entscheidung zu treffen (oder nicht zu treffen). Dies vereinfacht Entscheidungen, indem sie auf eine einzige Metrik bezogen werden: Bedauern.

KAPITEL 2. WIE SIE KLARER SEHEN

- Klar zu sehen und zu denken ist nichts, was wir instinktiv tun. Beim Menschen geht es um Überleben, Vergnügen, Schmerzvermeidung, Essen, Sex und Schlaf. Alles andere, was wir als höheres Ziel betrachten würden, kommt eher an zweiter Stelle, zumindest in unserem Gehirn. Daher sind mentale Modelle, die sicherstellen, dass wir klar denken, von größter Bedeutung. Die Welt sieht auf den zweiten Blick meist anders aus.

- Mentales Modell Nr. 7: „Schwarze Schwäne" ignorieren. Dies ist das erste mentale Modell, das speziell vor unserer Tendenz warnt, auf der Grundlage unvollkommener, verzerrter oder unvollständiger Informationen voreilige Schlüsse zu ziehen. Ein „Schwarzer-Schwan-Ereignis" ist ein völlig unvorhersehbares Ereignis, das aus dem

Nichts kommt. Dadurch verzerrt es alle Daten und Überzeugungen, und die Menschen beginnen, den schwarzen Schwan als neue Normalität zu betrachten. Aber das sind nur Ausreißer, die ignoriert werden sollten.

- Mentales Modell Nr. 8: Suchen Sie nach Gleichgewichtspunkten. Bei diesem mentalen Modell geht es darum, Trends im Fortschritt zu bemerken. Wenn Sie mit etwas beginnen, gehen Sie von Null auf Eins - das ist eine unendliche Fortschrittsrate. Dann gehen Sie von eins auf zwei, von zwei auf drei und so weiter, und die Fortschrittsrate verlangsamt sich, und die Erträge beginnen zu sinken. Irgendwo dort kommt ein Gleichgewichtspunkt, der wirklich den durchschnittlichen Mittelwert repräsentiert. Machen Sie nicht den Fehler, nicht darauf zu warten.

- Mentales Modell Nr. 9: Warten Sie auf die Regression zum Mittelwert. Dies ist das letzte mentale Modell, bei dem es darum geht, das Gesamtbild in Bezug auf Informationen zu sehen. Eine

Veränderung ohne einen *Grund* für die Veränderung ist nicht wirklich eine Veränderung; es ist nur eine Abweichung. Sie repräsentiert nicht, was in der Zukunft weiterhin passieren wird. Eine Regression zum Mittelwert ist, wenn sich die Dinge wieder einpendeln und das fortsetzen, was sie vorher getan haben - dies ist repräsentativ für die Realität.

- Mentales Modell Nr. 10: Was würde Bayes tun? Lustigerweise ging es in den vorherigen drei mentalen Modellen um unsere fehlerhaften Versuche, Schlussfolgerungen zu ziehen und die Zukunft vorherzusagen. Das Bayes'sche Theorem ist etwas, das uns tatsächlich erlaubt, Rückschlüsse auf die Zukunft zu ziehen: basierend auf Wahrscheinlichkeiten und unter Berücksichtigung von Ereignissen, die bereits eingetreten sind. Alles, was Sie brauchen, sind die groben Wahrscheinlichkeiten von drei Elementen, die Sie in die Bayes-Formel einsetzen, und Sie werden zu einer genaueren Schlussfolgerung kommen als sogenannte Experten. Das ist grundlegendes probabilistisches Denken.

- Mentales Modell #11: Mach es wie Darwin. Darwin war offensichtlich kein Genie, aber er hatte einen Charakterzug, der ihn von anderen unterschied: seine unermüdliche Hingabe an die Wahrheit. Dabei entwickelte er seine goldene Regel (und unser mentales Modell), nämlich Argumenten und Meinungen, die seinen eigenen widersprachen, trotzdem das gleiche Gewicht und die gleiche Aufmerksamkeit zu schenken. Anstatt defensiv zu werden, wenn ihm etwas präsentiert wurde, das ihm widersprach, wurde er kritisch und skeptisch gegenüber sich selbst. Diese radikale Aufgeschlossenheit schiebt Bestätigungsvoreingenommenheit und Ego beiseite.

- Mentales Modell Nr. 12: Mit System 2 denken. Nach Daniel Kahneman hat jeder von uns zwei Systeme des Denkens: System 1 und System 2.

System 1 konzentriert sich auf Geschwindigkeit und Effizienz des Denkens, während sich System 2 auf Genauigkeit und Tiefe des Denkens konzentriert. System 2 ist klug, während System 1 dumm ist. System 1 schadet mehr als es nützt, aber leider ist es dasjenige, dem wir standardmäßig folgen, weil es einfacher ist. Machen Sie sich den Unterschied zwischen den beiden bewusst; erkennen Sie System 1 an und versuchen Sie dann, sofort zu System 2 überzugehen.

KAPITEL 3. AUGENÖFFNENDE PROBLEMLÖSUNG

- Die meisten Arten, wie wir Probleme lösen, laufen darauf hinaus, gegen die gleiche Wand zu rennen und zu hoffen, dass sie irgendwann bröckelt. Offensichtlich ist das weder für uns noch für die Wand optimal. Bessere Problemlösungen können sicherlich von mentalen Modellen stammen, weil sie uns eine Formel liefern, der wir folgen können. Das ist schließlich alles, was Dinge wie die quadratische Gleichung oder π sind - mentale Modelle, die uns beim Lösen von Problemen helfen.

- Mentales Modell Nr. 13: Prüfen Sie Ihre Perspektiven. Vieles, woran wir bei der Lösung von Problemen scheitern, hängt mit unserer Unfähigkeit zusammen, andere Perspektiven einzunehmen. In der Tat sollten wir unsere Perspektiven durch Triangulation mit denen anderer ständig überprüfen. Denken und Lösen in einem Vakuum wird nie funktionieren, denn wenn Sie etwas nicht selbst erlebt haben, wird es für Sie keinen Sinn ergeben.

- Mentales Modell Nr. 14: Finden Sie Ihre eigenen Schwächen. Bei diesem mentalen Modell geht es darum, der beruhigenden Verlockung des Bestätigungsvoreingenommenheit zu widerstehen und zu versuchen, sich selbst zu hinterfragen, bevor andere überhaupt die Chance dazu bekommen. Gehen Sie davon aus, dass Sie im Unrecht sind; dies gilt insbesondere für zwischenmenschliche Beziehungen. Wenn Sie davon ausgehen, dass Sie zu mindestens 1% für Konflikte verantwortlich sind, dann ist Ihre Illusion von Überlegenheit und Unfehlbarkeit gebrochen, ein wichtiger Faktor in der sozialen Interaktion.

- Mentales Modell Nr. 15: Trennen Sie Korrelation von Kausalität. Dies sind völlig unterschiedliche Dinge. Eine Beziehung zu erzwingen, wo keine existiert, führt dazu, dass Sie dem falschen Problem nachjagen. Darüber hinaus müssen Sie die unmittelbare Ursache von der Grundursache trennen - die Grundursache ist das, was wir immer erfahren wollen, und sie kann durch eine Reihe von Fragen erreicht werden.

- Mentales Modell #16 Umgekehrtes Erzählen. Wenn es um Kausalität geht, müssen wir manchmal einfach besser darin werden, in einer bestimmten Weise zu denken. Ein visuelles Hilfsmittel ist das Fischgrätendiagramm, das dann die Ursachen der Ursachen dokumentiert und so weiter. Das ist Storytelling in Reverse, umgekehrtes Erzählen, denn Sie beginnen mit einer

Schlussfolgerung und arbeiten sich rückwärts durch manchmal mehrdeutige Schichten.

- Mentales Modell Nr. 17: SCAMPER It. Die SCAMPER-Methode steht für sieben Techniken, die helfen, das Denken auf neue Ideen und Lösungen zu lenken: (S) ersetzen, (C) kombinieren, (A) anpassen, (M) verkleinern/vergrößern, (P) umfunktionieren, (E) eliminieren und (R) umkehren.

- Mentales Modell #18: Zurück zu den ersten Prinzipien. Wenn wir versuchen, Probleme zu lösen, versuchen wir oft, Methoden oder einen bestimmten Weg einzuschlagen, nur weil es die konventionellen Mittel sind. Aber sind diese auch die besten? Das Denken in ersten Prinzipien entfernt bloße Annahmen und lässt Sie nur mit einer Reihe von Fakten und einem gewünschten Ergebnis zurück. Von dort aus können Sie Ihre eigene Lösung schmieden.

- Wir können nicht anders; so wurden wir von Kindheit an indoktriniert. Natürlich ist das auch nicht unbedingt falsch. Ich spreche von unserem Drang, nach Errungenschaften zu greifen, anstatt negative Konsequenzen zu vermeiden. Wo es in anderen Kapiteln dieses Buches um Mentale Modelle geht, führen wir hier Anti-Mentale Modelle ein, um darzustellen, wie Sie genauso viel erreichen können, wenn Sie sich nur auf eine Sache konzentrieren: Vermeidung.

- Mentales Modell #19: Vermeiden Sie direkte Ziele. Direkte Ziele sind wie das Greifen nach den Sternen, während es bei Anti-Zielen, oder inversen Zielen, darum geht, den Absturz zu vermeiden und alles zu tun, um ihn zu verhindern. Die Chance, das gewünschte Ergebnis zu erreichen, ist genauso groß wie bei direkten Zielen, aber es könnte Sie schneller und effizienter ans Ziel bringen. Formulieren Sie einfach die Faktoren, die bei einem Worst-Case-

Szenario eine Rolle spielen, und widmen Sie dann Ihre Zeit der Vermeidung dieser Faktoren.

- Mentales Modell #20: Vermeiden Sie es, wie ein Experte zu denken. Experten denken über das große Ganze nach und können sich manchmal nicht mit kleinen Details beschäftigen. Kleine Details werden, kontraintuitiv, meist von Anfängern beachtet, weil sie neue Informationen aufnehmen und entsprechend langsam durch einen Prozess gehen. Wie ein Experte auf einem bestimmten Gebiet zu denken, bedeutet wahrscheinlich, dass Sie kleine Fehler machen, weil Sie anmaßend denken und sich auf die Gesamtwirkung und -konzeption konzentrieren.
- Mentales Modell #21: Vermeiden Sie Ihre Nicht-Genie-Zonen. Wir alle haben natürliche Vorteile in einigen Dingen, und obwohl wir hart arbeiten, werden wir in anderen Bereichen nie mehr als Mittelmaß sein. Erkennen Sie Ihre Stärken, und obwohl Sie nicht aufhören sollten, Ihre Schwächen zu verbessern,

verstehen Sie, wo Sie den größten Einfluss haben werden.

- Mentales Modell #22: Vermeiden Sie To-Do-Listen. Machen Sie vielmehr „Don't-do"-Listen. Indem Sie eingrenzen, was Sie vermeiden sollten und was wirklich unwichtig ist, gewinnen Sie drastisch an Zeit. Das bedeutet, dass Sie weniger Stress und Ängste haben werden und genau wissen, was Ihre Prioritäten sind.

- Mentales Modell #23: Vermeiden Sie den Weg des geringsten Widerstands. Erscheint Ihnen irgendetwas zu einfach? Es ist zu schön, um wahr zu sein. Vermeiden Sie es. Suchen Sie den Widerstand, denn das ist ein Zeichen dafür, dass Sie auf dem richtigen Weg sind. Wir werden täglich vor zwei Entscheidungen gestellt: die einfache und die richtige. Normalerweise sind wir uns nicht einmal bewusst, dass wir eine Wahl haben, aber wenn Sie anfangen, Ihre Wahlmöglichkeiten ehrlich zu kategorisieren, werden Sie vielleicht entdecken, dass Ihr Instinkt, Widerstand zu vermeiden, Selbstsabotage ist.

- Mentales Modell #24: Murphys Gesetz: Alles, was schiefgehen kann, wird auch schiefgehen, also sorgen Sie dafür, dass es nicht die Gelegenheit dazu bekommt. Verlassen Sie sich nicht darauf, dass Sie gerade so über die Runden kommen; sorgen Sie dafür, dass Sie so ausfallsicher wie möglich sind.
- Mentales Modell #25: Ockhams Rasiermesser: Die einfachste Erklärung mit den wenigsten Variablen ist am wahrscheinlichsten die richtige. Unser Instinkt möchte die mental am einfachsten verfügbare Erklärung wählen, was jedoch mehr darüber aussagt, was wir sehen oder nicht sehen *wollen*.
- Mentales Modell #26: Hanlons Rasiermesser: Böswillige Handlungen lassen sich viel eher durch Inkompetenz, Dummheit oder Nachlässigkeit erklären; Annahmen über böse Absichten einer Person sind wahrscheinlich falsch.

Verbessern Sie Ihre Beziehungen, indem Sie den Vorteil des Zweifels gewähren und im schlimmsten Fall von Zerstreutheit ausgehen.

- Mentales Modell Nr. 27: Pareto-Prinzip: Es gibt eine natürliche Verteilung, die dazu neigt, dass 20% der Aktionen, die wir durchführen, für 80% der Ergebnisse verantwortlich sind; daher sollten wir uns auf diese 20% konzentrieren, um ein maximales Input-Output-Verhältnis zu erzielen. Es geht darum, ergebnisorientiert zu werden und einfach dem zu folgen, was die Daten bestätigen. Es geht nicht darum, an allen Ecken und Enden zu sparen, sondern darum, zu verstehen, was eine Auswirkung verursacht.

- Mentales Modell #28: Sturgeons Gesetz: 90% von allem ist Mist, also seien Sie selektiv mit Ihrer Zeit und Energie. Beginnen Sie mit den 10% absoluten Nicht-Mist und arbeiten Sie sich langsam dort heraus. Dies ist in gewisser Weise eine restriktivere Version des Pareto-Prinzips.

- Mentales Modell #29-30: Die Parkinsonschen Gesetze: Erstens: Trivialität kann sich leicht einstellen, weil es angenehm ist, sich produktiv zu fühlen (selbst in kleinsten Dingen) und seine Meinung zu äußern. Kennen Sie Ihre wirklichen Prioritäten und fragen Sie sich, ob tatsächlich Fortschritte in Richtung dieser Prioritäten gemacht werden. Zweitens dehnt sich die Arbeit aus, um die ihr zugestandene Zeit zu füllen, also kürzen Sie diese Zeit. Der Wunsch, in einem entspannten Tempo zu arbeiten, führt oft nur zur Selbstsabotage.

Printed by BoD™in Norderstedt, Germany